JN075968

ニュー・ダイエット：食いしん坊の大冒険

ウルトラランチ ドミンゴ 著

THE NEW DIET:
Further Essays in A Culinary Adventure.

Domingo from Ultra Lunch

First Published 2022 by Mokusei Publishers Inc.

* 著者による注は、傍注で記した。
* 本文中の書名については、邦訳のあるものは邦訳を、邦訳のないものは原題を記した。

愛すべき、食いしん坊の皆さまへ

イントロダクション——インナー・シティ・ブルース

私は、大阪を代表する老舗割烹の謝罪会見をテレビで見ていた。

全国にその名を知られる名門が、産地偽装、賞味期限改ざん、食べ残し品の使いまわし提供をしていたというニュースだった。

2007年12月のことだ。

記者会見場は、マイクを持つ大勢の記者と大砲の一群とも呼べる大量のカメラであふれていた。割烹を経営する会社の専務と、その横に座る女将（母親）が映っている。「頭が真っ白になっていたと言いなさい」と、女将が専務に耳打ちする声が筒抜けになっている。

当時35歳になっていた私は、なんとも言えない気持ちでテレビを観ていた。

会見の内容は、テレビや新聞で大きなニュースとして報じられた。一般紙だけでなく週刊誌やタブロイド紙、ワイドショーで、ニュースそのものに加えて、様々なゴシップが、何かが爆発するように報じられた。

大阪本店だけでなく全国に支店を展開し、デパートでも惣菜や食品を販売していたのがこのまごうことなき老舗ブランドだ。

食べ物に関する仕事の最高峰にいた彼らが、ブロイラーを地鶏と称し、食べ残しを揚げなおして再提供し、プリンの賞味期限シールを貼り替えて陳列しなおした。

それを現場のパートタイム職員は、独断でおこなったと証言するように経営陣から強要されていた、などなどだ。本当にあったことも、そうではなかったこともニュースになってお茶の間を駆け巡った。

私は、「なんとなく、知ってたかも」と冷めた気持ちで当時のニュースと新聞を眺めていた。

このような騒動となると、メディアも市井の声も、怒りが怒りを呼んで冷静ではなくなるし、それは仕方のないことかも知れない。そもそもこの割烹が行ったことは、あってはならないことなのだ。

しかし、この騒動の背景に一体何があったのか？

どんなメカニズムによってここまで事態がエスカレートしてしまったのか？

こういった背景や複雑に関係しあう要素を冷静に調査し、報道するメディアは当時も、もしかしたら今もないんじゃないだろうか？

怒りが頂点に達した消費者の声を鎮めることは廃業することでしかなし得ないのだろう。


この老舗割烹は廃業した。

彼らにも「すべてはお客さまのため」という気持ちで仕事に取り組んできた年月があっただろう。しかし、デパートのようなきわめて多くの人が行き交う場所で、単価数百円の食品を販売するビジネスをおこなうことにはとても複雑な事情が伴う。少し考えてみれば、そのことは想像に難くないはずだ。

平時のテレビがハイテンションでグルメレポートをする時、「分かりやすい高級感」や「買いやすいお値段」といったわかりやすさを店に求め過ぎていなかっただろうか。

私たち消費者が求めた「買いやすい価格」でありながら「高級であること」には大きな矛盾が伴ってはいなかったのだろうか。

デパートのテナント料金には売り切れ御免が許されるような余裕などあるのだろうか。

メディアでは、高級でありながらも安く、わかりやすく伝えられるものの存在が必要なのであり、それを「驚いて」観ていた私たちが存在する。それは食べる喜びよりも、価格や驚きやわかりやすい見た目であり続けて来た。

冒頭のニュースに関して、私が知りたいのはそういった背景や食べ物をとりまく「何者か」だった。

でも、大騒動となった今、そういう議論になるわけがないんだよな。

そんな冷めた気持ちだった。

いまは、もう2020年代だ。このような「騒動」に対して私たちは冷静に対応できるようになったのだろうか。

むしろ、騒動の激しさは増してはいないか？

老舗と呼ばれる割烹までが飲み込まれてしまう経済や社会のメカニズムとは、どんなものなのだろう？

知らず知らずのうちに私たちもその得体の知れないメカニズムの一部になっている不気味さを感じる瞬間がある。

写真をＳＮＳに投稿するためだけに入ったレストランはないだろうか？

流行りのドリンクを競って購入してはいないだろうか？

毎日の食事にちょっとしたアクセントを求めるのは日常の彩りとして必要なことだ。

ただ、見栄えや大盛りだけでなく価格、スピード、手軽さなど食べ物に関するあらゆることをファッションスペックとして消費してきたのは私たちではなかっただろうか。

「安全であること」と「何者かに与えられた安心」を、そして「コストパフォーマンスが良いこと」と「チープであること」を混同していたのは私たちではなかったか。

大騒動の背後に「何者か（モンスター）」が潜んでいる。

そいつが並べた椅子に座って、私たちは口をあけて食べ物を待ち続けてきた。

こんなイントロダクションで始まる本書だけど、私のブルースは果たしてあなたに届いているだろうか？

いささか冗長な自己紹介となるが、よかったらお付き合い頂きたい。

1984ロサンゼルスオリンピック

私は、1972年生まれのおじさんだ。

7月28日、「ナニワ（728）」となるこの日に、私は浪速（ナニワ）こと大阪に生を受けた。

大阪JR環状線福島駅の前に佇む小さな煙草屋が私の生家だ。大阪随一の繁華街である梅田と隣接する地で私は生まれ育った。

駅前の商店街に生家があったので、それなりに賑やかな雰囲気で小学生時代を過ごした。当時スーパーカーと呼ばれていたランボルギーニ・カウンタックが街道を走った。とは言うものの、それを喜んで友だちと追いかけ、信号待ちで私たちに追いつかれてしまったカウンタックのおじさんはちょっと嬉しそうにする、というような、なんというか、のどかな感じだった。

1984年、12歳の時にロサンゼルスオリンピックがあった。その前後から世の中の空気が急速に変わっていったという強烈な記憶がある。青春期に突入した煙草屋のせがれの記憶に、今も濃密に、ありありと残っているものを紹介してみようか。どのような時代の中でどんなものを見て過ごしていたのか少しでも分かっていただけるかも知れない。

1983年は、任天堂から家庭用ゲーム機「ファミリーコンピューター（ファミコン）」が発売された年だ。未来を感じるメカだった。

東京ディズニーランドがオープンしたのもこの年で、テレビで紹介される光景は圧倒されるほど眩しくて異世界のようだった。オープン直後に大阪から家族でディズニーランドに行ってきた友人は小学校でヒーローみたいな扱いを受けていた。

プロゴルファー、青木功さんがハワイアンオープンで日本人初のチャンピオンに輝くと、我が家にタバコを買いに来る客からゴルフの話題を耳にする機会が多くなった。それまでは阪神タイガースと競馬の話ばかりだった。

「自由とやすらぎの香り。アメリカン・ブルー。パーラメント」というキャッチコピーで、ナイロンズやナタリー・コール、ボビー・コールドウェルなどのAORがBGMに流れる。そんなパーラメント（タバコ）のテレビＣＭが大量投下され、世の中では「お洒落要素」が照れくさいことではなくなったように思う。いまとなっては死語になってしまったが「ＤＣブランド」と呼ばれる洋服をてらいなく着こなすお兄さんお姉さんがかっこよく見えた。

そして、パーラメントのＣＭに露払いされるようにやってきた「バブル時代」という7年弱の期間がある。１９８４年から１９９１年にかけて日本に巻き起こった歓喜と喧騒と狂気の時期だ。

本当に凄かった。

――ちなみに、その後私が社会人となった時にはバブル時代は終わっていて、氷河期世代と呼ばれる絶不調に見舞われる――。

大阪梅田という繁華街を幼少時から遊び場として育ってきた私にとって、このバブル時代は青春期にあたる。友だちと阪急百貨店のエスカレーターで女性のスカートを下から眺めたり、阪神百貨店の地下でイカ焼きを食べたりしながら、レコードを物色していた。そんな日々を過ごしながら、煙草屋の鼻垂れ小僧がバブル期の繁華街で目の当たりにした光景は、目まぐるしいスピードで変化していった。

街の様子、みんなが着ているもの、聞こえてくる音楽が変化していった。

もちろん、食べ物も然りだ。

小学生くらいまで、我が家でお祝いの外食、つまりご馳走といえばお寿司か焼き肉だったと思う。ハレの日に家族で出かけるお店の選択肢は少なかったが、その祝祭感たるや確固たるものだった。

母の名誉のために言っておくが、家族と一緒にワイワイとおかずを取り合う毎日の食卓だって、それはそれは喜びに満ちたものだった。だが、ハレの日は祝祭であり、その日には特別な意味があった。ハレの日、ケの日には明確なコントラストがあった。

そんな私の食事を巡る日常やハレの日にまつわる意味について、この後訪れた変化を振り返ってみるとこんな感じだ。


青年コミック誌『ビッグコミックスピリッツ』で、1983年に漫画「美味しんぼ」の連載が始まった。山本益博氏をはじめとする「料理評論家」をメディアで目にするようになった。私は「グルメ」という単語をこの頃に知った。

デパートの惣菜売り場と言えば、これまで佃煮やお煮しめといった醤油色のおかずが並んでいたものだけれど、欧風本格デリカテッセンが出現し、売場面積を増していった。

熊谷喜八さん、三國清三さんといったシェフがスターになった。

でも、庶民のご馳走にフランス料理は敷居が高すぎたのかな、街場にはイタ飯ブームがやってきた。ハレの日、フォーマル、テーブルマナーとは意味合いの違う日常の中の非日常とも言える、ちょっとした贅沢が繁華街に増えてきた。

イベリコ豚、エスカルゴ、トリュフ茸、フォアグラという、これまで存在さえ知らなかった食材が日常に溢れはじめ、「ご馳走」の選択肢が爆発的に広がった。

あらゆる飲食店が他店との差別化のために高級食材をアピールする。

いつのまにか、焼き肉やステーキはA5ランクの黒毛和牛でなくてはならなくなった。言いすぎかもしれないけれど、感覚的には本当にそれに近かったのだ。

初めてのデートではブルーマウンテンブレンドのコーヒーを飲んだ。そのあと、お相手の彼女は、1984年に日本に上陸し、梅田にも出店されたハーゲンダッツのアイスクリームを食べた。

高校生だった私は、「どこでも黒毛和牛やけど、牛ってそんな数が育てられてんの?」「イベリコ豚って日本だけでこんなに輸入できんの?」などと考えながら、ハーゲンダッツをほおばる彼女を眺めていた記憶がある。

なんせ、数年でいきなり湧き上がってきたかのように提供されはじめたものだから、理解が追いついていなかった。

ファッション誌『Men's NON-NO』や『ホットドッグプレス』ではクリスマスディナーとその夜の高級ホテルを予約する手順が詳しくマニュアル化されていて「こんなことせなあかんのかー！」とドキドキしながら予習したこともあった——社会人になった頃には、そんな風習は無事消えてなくなっていた。

大学生になった私はバーでアルバイトを始めた。

梅田の夜は熱気を帯びていた。女性客は露出度の高いスタイルだったし、ヤクザみたいな格好をした男性客は普通にサラリーマンだった。

夕食に肉を食べた彼らは、バーでも生ハムとサラミの盛り合わせを注文していた。もちろんイベリコ豚だ。

たった数年で凄まじい量のご馳走を世界中からかき集めて消費するようになった日本人は、バブルを終えたいまもなお食欲旺盛だ。１９６０年から２０１３年の半世紀で日本人の食肉摂取量はおよそ10倍になった。

10倍だ。１９７1年に銀座で第1号店を開いた日本マクドナルドの藤田田創業社長は「マクドナルドのハンバーガーを千年ほど食べれば日本人の肌は白くなり金髪になるだろう」とぶち上げた。半ば冗談として発言したものだと思うが、この言葉からは日本人の食生活を激変させんとする強烈な意志を感じる。

実際に激変した。

国内のマクドナルド店舗数は2，９００を超え、全てのコンビニエンスストアの店頭からフライドチキンが消えることはない。いまや肉はハレのものでもご馳走でもなくなった。

ご馳走として差別化するにはあの手この手でブランド肉や希少肉を調達してこなければならなくなった。

正直、銘柄肉については無理があるんじゃないかと思う謳い文句を店頭ポップなどで目にすることもあった。

これから語ること

冒頭に書いた食品偽装のニュースは、私には驚くことではなかった。繁華街で、繁盛店の厨房で多少の背景を垣間見ていた現実だった。

事件が起こるには、当然理由がある。食品偽装や飲食店不祥事が起こるとき、私たち消費者の側もそういった事態に深く関係していることが極めて多い。流行の変遷はいまや「バズる」という言葉に象徴されるようにスピードアップしている。「全てはお客さまのために」「お客さまの求めるものを」という企業のバランスが崩れはじめてしまう原因のひとつは、その「お客さま」自身だったりすることもあるだろう。刀を向けた先に自分がいる事態は実はよくあることなのだ。

そして、これは日本だけの現象ではない。

発展し続ける中国、インド、アジア、ラテンアメリカの国々で起こる現象だ。これらの国々でこれまで私たちが日本で体験したような急激な食文化の変容が起こるだろう。いや、ますます急速な変化はすでに始まっている。

そこには肉消費量の急拡大がやはり伴い続ける。人類学的に、文化的に、経済学的に、ずっとそうであり、その味に私たちはもう長いこととりこになっている。肉の「象徴性」には、長く深い人類からのラブストーリーがある。

肉は必要不可欠だった。だが現代においては問題を孕むものでもある。それに対するカウンタープランとして様々なフードテック企業が「肉のような」「まるっきり肉」という先端食品にチャレンジしている。畜産業が及ぼす環境的インパクト、そしてそれに抗おうとする世界各国のベンチャー企業の様々なチャレンジについては類書が数多く出版されているし、Netflixでも数々のドキュメンタリーを観ることもできる。

いずれにせよ、それが肉そのものを食べることであっても、肉に似せた新しいものを食べることであっても、「肉的な」ものが必要なことには変わりないようだ。だから私には人類の「肉への欲望」、「肉への愛」に終わりが来るとはなかなか思えないのだ。それらの取り組みについても本書では触れることになる。

しかし、この本書を通してお伝えしたい本当のところはちょっと別のところにある。

肉の代替物を最新技術で開発することなどにはあまり興味がないのだ。むしろ肉の不在を楽しみたいとさえ考えている。

伝えたいことはこういうことだ。日々の食事の楽しさやハレの日が持つ祝祭感を重視したいと思っていること。重視したいからこそ冷静になって考えたときに思うこと。そんなことを、本書では綴っていきたいと思っている。ちょっと分かりにくい？

もうちょっとお話しよう。

『ULTRA LUNCH』

忙しい現代人にとって、至るところで手軽に入手できる食べものや、短時間で常に安定している味を提供してくれるチェーン店はとても大事なインフラだ。でも、この手軽な食べものは実はとても複雑な背景に支えられている。材料の調達、開発・設計・製造、流通、保存、価格を支える入り組んだ構造には、私たちに考えるのを放棄させるくらいの複雑さがある。「美味けりゃ良いんだよ、美味けりゃ」っていう一見シンプル極まる正論は、とても複雑な諸事情が無ければ成立していないということを知っていてもらいたいと思うのだ。

私は現在、東京都八王子市、高尾山の麓にて小さな食品メーカーを運営している。『ULTRA LUNCH』という、この小さな事業者がどのような意志で活動しているのかを知ってもらいたい。

大阪で生まれ、シンガポールやロンドン、東京で仕事をし、生きてきた。情報過多な都会ばかりで生活してきたと感じる。

野を駆け山に遊ぶ、などと言った経験の乏しい「もやしっ子」が大人になって、里山を走るトレイルランニングというスポーツに出会い、それが趣味となった。この趣味からとても大事なことを教えられたが、それを端的に言うとすれば、それは「シンプル・イズ・ベスト」ということになる。

凝り固まった身体や、日常の些事でこんがらがった頭から開放され、山道の起伏と向き合うシンプルな時間は、情報を積み重ねる都会での生活よりも遥かに豊かで、充実感のあるものだった。

だが、この「シンプル」という言葉を深く突き詰めるのは結構難しいもので、玄関には同じようなシューズが何足も並んでいたり、毎年新商品が発売されると新しいウィンドブレーカーがクローゼットに重なったりして、スペックと最新流行に踊らされたりもしている。

運動に欠かせない栄養補給も、また然りだ。

「速やかな疲労回復に！」「BCAA高含有！」といったスペック情報を鵜呑みにして高機能食品に手を出すうちに、これが本末転倒か！、と思い至った。

「サプリメント慣れ」という言葉がある。

機能性の高いサプリメントを摂取して心地よい経験を重ねてしまうと、身体と頭がそれに慣れてしまって、もっと高機能なものを求めるようになってしまう。怖いのが、サプリメントも広い意味で「食事」になるので、機能性の高い食事に慣れてしまうということはイコール普段の食事は「性能が低い食べもの」と頭が錯覚してしまうことだ。

シンプルに心身をリフレッシュする喜びを求めていたつもりが、自分の身体と食べものについて考えることをないがしろにしていたのだ！

もともと食べることが好きだったので、これはなんとしても改善したいと考えた。

まずはとにかくランニング好きな友だちやスポーツ好きな仲間たちと一緒に昼食を楽しみながら、栄養補給や日々の食事について情報交換をする会を開催することにした。毎回50名程度でおこなったその小さなイベントのタイトルが『ULTRA LUNCH』だ。

ここでの昼食は全て私が調理した料理で提供した。この会に参加してくれた同好の士の意見やそれぞれが感じている悩み、熱気とリアリティに満ちたフィードバックを得るうち、「これは自分の中年期を賭けるに足る活動になるのではないか」と感じた。

こんな経緯で『ULTRA LUNCH』を事業にすることを考えるようになった。

食事のことを大切に思っている仲間がたくさんいる。なのに、私たちの日常生活に与えられている選択肢には、なんと言おうか、実は豊かさが欠けている。

ひとつ極端にやってみるのは面白いんじゃないか。

スペックよりもブランドよりも流行よりも、思いっきり食材をシンプルに考えてみた。食品産業に新規参入するわけだから特長は明確であるほど良いはずだ。至るところで提供されているA5和牛なんて使ってる場合ではないだろう。

それに、当然のことだが、毎日毎食『ULTRA LUNCH』の食べもので生活しようと思う方はいないだろう。だから、機会があってせっかく食べてもらえるなら「これ肉とかチーズが入ってないの！？」というインパクトを与えられたらどうだろうか？さりげなくでも良いから今の食品産業に対して私が考えていることもお伝えしながら、そんな楽しさをお届けできるんじゃないだろうか。

ヴィーガン（菜食）食品に特化した活動をしているのはこういった理由による。『ULTRA LUNCH』はベジタリアン生活を提案しているものではないし肉食を否定しない。シンプルに「植物だけで楽しくて華やかで美味しい一食が出来ちゃうんだな」という体験を追求しているのだ。

植物だけで、美味しく楽しく、華やかに。

そんな『ULTRA LUNCH』が、いま改めて「食べること」を語ろうと思う。肉に関することや、人間について、それから、もう少し詳しく『ULTRA LUNCH』が考えていることをひとつにまとめた。

9年に渡り『ULTRA LUNCH』を運営してきて、初のマニフェスト公開となる。

こんな流れだ。

第1章で、「食べること」を250万年の歴史から紐解いていきたい。

第2章では、食事行為を文化として世界を旅しながら一望する。

第3章では、このイントロダクションでも触れた問題提起を多面的に詳しく解説してみたいと考えている。

最後に、「食べること」について『ULTRA LUNCH』なりの提言を行ってみたい。


はじめにお断りしておくが、このドキュメントでは、動物愛護の観点からのエピソードや、スペック（栄養性能）面における菜食のメリットはほぼ語られない。感情を煽るパワーワードが列記されることもない。

だが、食べることが好きな人であれば、なにかしら記憶しておくに値する情報を得ていただけると信じている。

本書が、愛すべき食いしん坊仲間に宛てた手紙となれば良いと思う。ごく個人的な意見だけど、「食いしん坊」であるということは、私たちの誇るべき大きな特徴だと思っているので。

最後に、本書のタイトルは「ニュー・ダイエット」だが、痩せる方法を説くわけではない。

DIET（ダイエット）という英単語は「日常の飲食物全般とその摂りかた」が本来の意味だ。本書はこの本来の意味である「日常の食べ物」について、それを取り巻く様々な事象について冷静に新しい視点で切り込んでいきたいと思っている。

ちょっと長い物語になるかも知れないが、JUST DO IT、行ってみましょう。

3章 過ぎたごちそう

4章 美味しく楽しい問題解決

1章 ● 人類の定義

数多くの動物のなかでも、実は人類はそこまで強い動物ではない

では参りましょう。

まず、この章では私たち人間と肉食の長い歴史と関係を解きほぐしていく。

そのために、最初にリチャード・ランガムという人物をご紹介したいと思う。

この人物は、ハーヴァード大学の生物人類学教授・霊長類学者であり「クッキング・ガイ（お料理野郎）」というユニークなニックネームで呼ばれている。霊長類の行動、人間の進化、暴力、調理などについて多くの著作を持ち、「料理が私たちを人間にした」とする学説で有名だ。

もちろん学説には反論があるし、ランガム説に証拠不足を指摘する研究者も存在する。

だが、私はこの「料理が私たちを人間にした」という説には一理あると思っている。

つまりこういうことだ。

人間に限らず、動物が食べ物を口に入れてそれを消化し、栄養を吸収するまでには大きなエネルギーを必要とする。食べる、という行為自体で私たち人間も他の動物もみんな体力を使うわけだ。

口の中で咀嚼し、喉から飲み込み、胃で消化し、腸で吸収する。こういった食事行為で使われ消費されるカロリーのことを食事誘発性熱産生と言う。食べものを身体に取り込むと、安静にしていても代謝が上がり、カロリーを消費する。

熱々の鍋でなくとも食事を摂るだけで身体が温かくなったり、汗をかいたりしたような経験はないだろうか。食べ物を消化し、身体に取り込むために熱が発生しているのだ。

加熱調理された炭水化物、タンパク質、脂質の三大栄養素をまんべんなく摂取したとき、人間が使うカロリーは1日の消費代謝のうちおよそ10%になる。

人間以外の動物は食事のほぼ全てを「生」のもので行う。葉っぱにせよ、芋にせよ、果物にせよ、肉にせよ、すべて生で食べる。そして、その食事も著しく偏った品目で摂られる。そのため、咀嚼にも消化にも吸収にも多大なエネルギーが必要になる。

人間の食事誘発性熱産生10%という数値は、だから動物界ではもっとも低い割合ということになる。

私たち人間は他の動物に比べてとても効率の良い食事の仕方をしている。1日24時間の活動に必要なカロリー、すなわち持てるすべてのパワーのうち食事には10%しか使わなくて良いのだ。

このことは、食事以外に活用することが出来るたくさんのパワーが人間にはあるということを示している。

人間の食事誘発性熱産生10%であるということには、料理が深く関係している。

まず、「料理」は人間の成長を速くした。

驚くべきことに「料理された食べ物」を摂取すると、サルも犬もモルモットも虫にいたるまで、体重の増加速度（≒成長の速度）が速いのだという。もちろん、人間以外の動物が自ら加熱などの高度な調理をできるわけはないので、これは人間による実験と研究から発見されたこと（もちろん料理も人間が代わりに行っている）ではあるのだが、細かく刻まれて加熱され、ときにはペースト状につぶされるくらいまでに「料理された」食べ物は消化吸収を確実に効率化するわけである。

料理された食べ物は生の食べ物よりも食べやすく消化しやすい。焼き芋は生の芋よりも遥かに柔らかいではないか。熱を加えて柔らかくなった食べ物はそれだけ速く食べることができ、速く消化できるようになる。

料理は、このようにして人間の食事誘発性熱産生が10％で済むことに大きな貢献をするとともに、人間の成長スピードを上げ、他の動物、他の霊長類と全く違う生活の様式を私たち人間にもたらした。

これは私たち人間の身体のカタチにも明確に反映されている。

例えば、体重30kgのチンパンジーは1日に6時間以上ものあいだ食べ物を噛んでいる。一方、体重60～80kgにもなる大人の人間（つまりチンパンジーよりもはるかに多くの栄養を摂ることが必要な動物）が咀嚼に費やす時間は1日に1時間にも満たない。チンパンジーは人間よりも遥かに広い口腔容積（くちびるから喉までの容積）と大きい歯と強いアゴを持ち、人間よりも多くの食べ物を口に入れられる。にもかかわらず実に6倍もの時間を咀嚼に費やしている。

想像に難くないが、食べ物を手に持ち口に含んで噛み砕いている時間は他の作業に取り組みにくい。例えば外敵が近づいてきた時、ライオンやハイエナが子どもをジロリと睨みつけている時、大雨や山火事の匂いに気がついた時、もぐもぐと続けていたらどうだろう。こういう時にリンゴを手に持っていたり口の中が満載になっていたら、子どもを抱えて走りにくいし仲間に緊急を伝える号令も出しにくいだろう。

いっぽうで、人間の口（口腔容積）は他の動物と比べて小さくできているのだが、そんな小ささでも全く問題なく生きていられるのだ。加熱料理によって柔らかく、スピーディーに摂取できるようになった食物のおかげで効率よく食事をし、それ以外の時間を他のことに使うことができるのだ。

まだある。

次に胃の話だ。

人間は体重比においてとても小さなサイズの胃しか持っていない。

なにしろ料理された食べ物のカロリー密度は高い。たとえば、加熱されていないじゃがいもを食べても消化できるのは51％にとどまる。対して加熱調理されたじゃがいもは95％が無事に消化吸収されるという。半分の食事量でも栄養を得られるようになったということになる。

こんな小さな胃でも充分生きられるようになった。というより、私たち人間はこの小さな胃でも対応できる効率的な食事を追求してきた、ということだ。

そして、このカロリー密度の向上には調理された肉が効果的に食事に含まれたことも寄与している。人間の胃を食べ物が通過する時間は、生の肉を食べて生きるネコ科肉食動物の1／3程度だ。生肉の塊を食いちぎってしっかりと消化させるには人間の胃壁が持つ筋力は貧弱だし胃内での滞留時間も短かすぎる。それでも料理された肉を含めたカロリー密度の高い食べ物のおかげで、栄養を吸収し、生きながらえてきた。

人間は、250万年前には道具を用いて肉を骨から削ぎ落としはじめ、180万年前くらいには「食事習慣」がほぼ現代の私たちとおおよそ大差のないスタイルとなったと考えられている。それが化石に見える身体の形からわかるという。この年代くらいから、他の霊長類と比べて私たち人間の身体の形が完全に違うのだ。

効率の良い食事とは、刻まれ火を通され料理された食べもののことだ。

私たちは「料理」によって人間になった。つまり、調理された食べ物、そして「調理された肉」を食べることで私たちは類人猿や原人から人間に進化を遂げた、とランガムは言う。(注)

加熱された「料理」によって、小さな口や胃でも効率的に栄養を取ることができ、食事誘発性熱産生を10％におさえ、あまった時間とパワーを活用して食事以外の活動に取り組むことができるようになったのが、人間なのだ。

注：リチャード・ランガム『火の賜物』NTT出版（2010年）に詳しい。

「料理が私たちを人間にした」説を唱えるリチャード・ランガムが提出するすべての説を鵜呑みにする訳ではないが、この料理説には一理あると考えている。

ランガム説への異論として多いのは、次のようなものだ。

- 250万年前から動物の肉を解体していた証拠はあるが、火を使ったことを示す証拠は今に近づき約30万年前のものであるから、料理を始める前にすでに私たちは肉を食べ、人間になっていたと考えるべきでは?
- 料理(山火事の恩恵などではなく計画的な火の利用)はその後と考えるべきなのでは?

それに対し、ランガムはまだ火の使用の証拠が発見されていないというだけでは、その物的証拠の存在を否定するには充分ではないと言う。さらに充分に進化した(人間になった)あとに料理を始めたとするには、化石に見える身体的な特徴は既に料理に依存した口腔と消化管構造になっており説得力にかける、と自説を曲げずにいるらしい。

私はどうしても、こういう執着心のある科学者に肩入れしてしまう。

もちろん本書はこの論争のどちらサイドに立つものでもないが、いずれにしても人間は、

○肉に代表される栄養効率のいい食材を
○料理することによって更に消化吸収効率を上げ
○他の動物、他の霊長類とは全く異なる生活様式を手に入れた

というランガムの考えは、私にはとても説得力がある。


この、新しい生活様式とは、食事のために使うパワーを効率化し、他のことに活用することだが、もう少し言うと、それは大脳に大きな仕事をする余力を与えることによって生産性を上げたということだ。

この人間の「生産性」は、たくさんの発明を可能にし、人類は指数関数的ともいえるスピードで進化を遂げることが可能になった。そしていまも進化を続けている。ということは間違いないようである。

この人間の誕生、そして急成長は、いわば「消化・吸収活動」に必要なことの一部を「料理」にアウトソーシングしたタイミングが起点となったのだろうと思う。

2020年代のいま、現代人にとって人間の進化とその食べ方をルーツに至るまでさかのぼって真剣に考えを遊ばせることは極めて重要なことだ。

なぜなら、効率的な栄養摂取とそれがもたらす大脳の自由活用によって地球を制するほど生息範囲を拡大したのが人間であり、一方では過度な効率化による栄養過多など様々な弊害に直面しているのも私たち人間だからである。ある国や地域では、いまも飢餓に苦しむ人びとがいる。その隣で、食生活に由来する変性疾患が改善すべき大きな急務となっている国の拡大が勢いを増しているのだ。

食べかた、食べものに対する考え方に破綻が生じていると言わざるを得ない。小さく、弱いアゴで料理を通して効率的に栄養を摂取し、自らの心身を守り、成長し、生活をコントロールして生き延びてきた人間が、今度はいつしか食べすぎた。簡単に食べ続けられるようになった。（いま、あなたがこの本を読みながら何かを食べていたとしても、それはまったく驚くべきことではない。）

人間はこれから何を思って生きるのか。

私も、読んでくれているあなたも、もちろん食べすぎている側の人間だ。

ひとつ、こんなことを考えてみるのはどうだろうか？

「生きるために食べる」とはよく言われる言葉だが、これは人間にのみ適用されるフレーズである。大多数の動物にとっては、いまも「食べるために生きている」のが実情なのである。食べること以外に費やせる日々の活動が極めて限られているのだ。

食事と消化吸収に費やすカロリーを節約できるようになった人間は、あまった時間とエネルギーを大脳に提供している。食べること以外にできる活動が増えた。素晴らしいことだ。

だが、それに伴って、私たち人間は何を失ったのだろう。

まず、裸、丸腰、もっともワイルドな状態での戦闘力を無くしたことは間違いない。チンパンジーやヒグマが相手の戦闘モチベーションを完全に封じ込めるために顔面を噛み潰すことはよく知られている。だが、人間の細くて筋力のないアゴ、小さな歯は、獲物を噛み殺して仕留めることが絶対に出来ない。

そして、大自然の中で安全に過ごせる場所をほぼ無くしたということも言えそうだ。人間が持つ長い脚や踵に至るまで接地する姿勢によって樹の上で安全に寝ることはほぼ不可能になった。

私たちは料理という効率のいい栄養摂取を手にした代わりに「生のまま食べられる」食べ物の選択肢を減らしたことも事実だ。生肉に付着するある種のバクテリアや毒素に抵抗できる人間はいない。緑に恵まれたアフリカの大地に降り立ったところで周りのチンパンジーや草食動物が大量に口に入れる植物の大半は私たちにとってあまりに味わいが強烈すぎるか硬すぎて咀嚼することも出来ないだろう。消化できる長い消化器官も持ち合わせていない。

私たち人間が裸のまま生活できる場所なんて、この広い地球の中でもごくごく限られたエリアであろう。

どうやら、人間はあまり強くないようだ。いや、実はめちゃくちゃに弱い動物だ。大人の人間が素手で戦って、そして勝利したあとにその相手の体を生のまま噛みちぎって飲み込むことができるような動物はほぼいない。人間が喜んで安全に食べられる木の実や果実、薬物が存分に手に入る安息地も地球上には極めて限られる。私たちの薄い皮膚は毒を持つ虫や血を好む小動物に対してもあまりに貧弱だ。

だが、単一種として地球上に広くくまなく生息分布しているのも私たち人間なのだ。

ランボルギーニ・カウンタックが街道を走り、ボーイングが私たちをヨーロッパまで運ぶ。コンピューターを作り、インターネットで全世界と繋がり、アナハイムで放たれた大谷翔平選手のホームランを生中継で見ている。弱々しい人間は、火や料理を起点としてここまで発展したらしい。

こんな動物が他にいるか？

料理や大脳を活用しつつも、戦闘能力を失った。それでも地球全土に広まり、いっぽうでは、いま食べ過ぎたりもしている。

良いような、悪いような、いったいどういうことなんだろう？

人間とはどんな生物なのか？

形質人類学（注）という学問は、チンパンジーやゴリラなどヒト科の共通祖先からどのように現生人類が進化してきたのかを解明する学問である。発掘された霊長類や人類

注：鈴木公雄『考古学入門』東京大学出版会（1998年）に詳しい。

の化石を対象に、その形態を分析する。骨や歯の形態からその古人類の運動様式・食性・生殖・生活環境・社会構造などを明らかにする。

形質人類学的には、人間はアウストラロピテクス（南のサル：猿人）からホモ・エレクトス（直立するヒト：原人）を経て、私たちホモ・サピエンス（知恵のヒト：新人）に至る。ホモ・サピエンスとホモ・エレクトスの間にネアンデルタール人を独立して定義することもあるが、ネアンデルタール人のことはホモ・サピエンスに組み込まれることが多いようだ。ヨーロッパ大陸で原生ホモ・サピエンスとともに生きた時代もあったが気候や食習慣、生活慣習の事情で残念にも絶滅した人種という捉え方だ。また、アウストラロピテクスとホモ・エレクトスの間にホモ・ハビリスを存在させ、その区分をどう扱うのかについても議論されているところだ。

このような形質人類学的な変化に思いを馳せていると、「料理」の視点で興味深いことがあった。およそ230万年前から180万年前を生きたホモ・エレクトスに進化する直前、ホモ・ハビリスと呼ばれる私たちの先輩が使っていたものに260万年前の石片（丸い石を意図的に削り磨いて刃をつけたもの）がある。これに動物の腱を切り取り肉を剥いだ形跡が残っているというのだ。

これが計画的で本格的な肉食の起源なのだとしたら——と考えると興奮する。身長135㎝程度で、今の私たちよりも長い腕を持ち、おそらくは、見た目は人間というよりもチンパンジーに近かったような彼らが自ら道具を作り計画的に肉を調理していたとしたら！

私は、個人的にはホモ・ハビリスのことを想像するのが一番好きだ。

ゲノム解析が本格化した21世紀のいま、医学や創薬だけでなく人類学的にも人間の起源がどんどん詳細に解明されて、やいのやいのと熱気を帯びている。だが、徹底的に化石資料の形を分析し続けることで詳細な分類をはかるという、一種アナログ趣味的とも感じられる魅力のある「形質人類学」の研究成果が、ようやく最先端ゲノム解析でも裏付けされてきているととらえると、とてつもなく痛快とは思えないだろうか。

人力の生演奏では解消することのできない「ちょっとしたリズムのゆらぎ」がある。コンピューターで正確なタイミングを維持できるようになっても、そのゆらぎをコンピューターにわざわざ入力して独特の心地よさを感じているような、そんな気分だ。例えがちょっと違うか。いや、完全に違うような——。

ホモ・ハビリスを現生人類の直接の先輩とするか否かには結論の出ていない部分があ

るというが、他の類人猿にはない「計画的で継続的な」肉食習慣を250万年前におよぶハビリスが保有していたとするならば、私たちの肉に対する愛はそこから始まったと考えられる。

火と料理を覚え、そして先輩たちは肉を食べ始めた。

人間と肉の関係がその頃にはじまったのだ。長い長いラブストーリーだ。

ここで、形質的に人間がどういった生き物なのかを列記してみるとこうなる。

1 直立姿勢

- 骨盤の強化と長い脚の確保
- かかとを含む足底全体を着地させる歩行姿勢
- 土踏まずアーチ、S字湾曲した脊柱によるクッション
- 垂直な体幹と下方向に開口した頭蓋骨

2 下方向に開口した頭蓋骨

- 垂直に近い額に詰まる大きな脳

- 眼窩上隆起がほぼ消滅
- 小さな顎
- 犬歯の退行
- 容積の小さな口腔

3 表面層

- 薄く毛のない皮膚
- 攻撃力を失った爪
- ほぼ無毛

こうやって改めて復習してみると、上述したとおり人間には極めて貧弱なレベルでしか戦闘能力が残っていないことがよく分かる。反面、この形質で手にした身体能力とは、長距離長時間の移動に適した歩行姿勢、ゴリラの姿勢に見られるナックル歩行ではなしえない上肢（腕）の自由な開放、過度の体温上昇を防ぐ恒温性能、と、なるだろうか。

これら以外は全て大脳のために使われたわけだ。

見晴らしの良いサバンナの中、トップスピードでは凡庸だが、長時間、長距離におよぶ移動については人間に比肩できる動物はいなかった。この特性を最大限に活かすために、食べ物の消化に余計な時間と体力を費やさず活動時間を伸ばし、強力な爪と握力を持たずしても獲物と戦える道具を開発した。長時間の活動を癒やせるくらいまとまった休息を安全に確保するため火を炊いて横たわるようになった。

スピードのある食物消化、道具と火の使用による柔らかい食べ物、まとまった睡眠、これら全てが、同時に大脳の肥大化を可能にしたのである。

否、正しくは、これらすべては大脳の肥大化のために最適化させた方法論だった。

だが、道具と火を活用できたとしても、人間の体のサイズや筋力では、まだサバンナ最強とはならない。

ここで出てくるのが「グループ」だ。

動物の脳の大きさと処理能力は、その動物が形成する集団のグループサイズに相関するという。

チームプレイを可能にした思考力は、人間が組織化社会化するに伴っていよいよ複雑な思考に対応できるようになった。

これが知恵のヒト――ホモ・サピエンスだ。

どうして私たちは人間（人類）になったのか

WHYとHOWどちらも考えてみたい。
もう一度リチャード・ランガム氏に言葉をもらおう。

「チャールズ・ダーウィンが料理を「言語を除いて、おそらく人類が生み出した最大の発明」と呼んだとき、ダーウィンの頭にあったのはたんに食料供給の改善だけだった。

しかし、食事の改善によって脳の拡大が可能になったと考えれば、料理の重要性ははるかに増す。

料理の発明は、高品質の食物を提供したとか、いまの人間の体を形作ったということのみで偉大なのではない。もっと重要なことがある。

私たちの脳が無類に大きくなることを助け、退屈な人間の体に輝かしい精神を宿らせたのだ。」（リチャード・ランガム『火の賜物』NTT出版（2010年）より）

どうして（WHY）人間になったのか。

動物としてのあらゆる強さを捨て、生存可能性の全てを大脳に賭けたのが人間だ。パワーや戦闘能力がない代わりに、大脳をフル活用して別の工夫をする必要があったからだ。

それ以外では生き残れなかったからだろう。

どうやって（HOW）人間になったのか。

サルやゴリラ、オランウータン、チンパンジー等々の霊長類仲間は彼らそのままの形で今も生き残っている。だが、アウストラロピテクスもホモ・ハビリスもホモ・エレクトゥスもネアンデルタール人も、私たちの先輩は軒並み生き残れなかったのだ。

なんとも不思議なことであるが、ホモ・サピエンス、そして現代の私たちは「バージョン・アップを重ねた最新世代の人間」ということになるのだろう。

生き残るため、大脳に最大限の仕事をさせるため、そのために食事効率に徹底的にこだわることが何よりも必要だった。大脳のために身体全てをチューニングし続けてきたのである。

イヌも魚も虫にいたるまで、普段の野生では生の植物、動物、プランクトンを食べているありとあらゆる動物も、調理された柔らかく消化効率の良い食べ物を摂れば体重の増加スピードは上がる。成長が速くなる。

だが「自ら調理した」のは人間だけだったのだ。

私たちは「人間になったから大脳が発達した」のではなく、「大脳にすべてを賭けたからこそ人間となった」。

私はこのことを人類史上最大のギャンブルだと思うし、このギャンブルに勝ってくれて本当にありがとうと言いたいのだ。そしてその大脳で考え、まさに、人間を人間たらしめた大きな要因のひとつは栄養価が高く、吸収されやすくなった「料理された肉」だったのである。

さて、『ＵＬＴＲＡ ＬＵＮＣＨ』はヴィーガン（菜食）食品の事業者である。運営者である私もベジタリアンであるべきと考える向きもいらっしゃるだろう。だが、私は、この章でお話しした料理や肉についての歴史を含めて人間が持つに至った全てを愛したいと思っている。食べる行為の喜びや嗜好品も全てを愛する。

いくつかの宗教には人間の本能、欲求、至福、業よりも崇高たる精神性を極端に尊ぶものもあるが、厳密なベジタリアン、ヴィーガン・イズムもこの意味である種の宗教だと考えている。私は排他的な宗教家ではない。小さな食品メーカーのおじさんだ。『ＵＬＴＲＡ ＬＵＮＣＨ』という事業者が菜食メニューの提供に特化しながら、肉食を絶対に否定しない理由がこれだ。まず、私たちは人間なのだ。

否定ではない。弱々しい動物でありながらも料理をし、肉を食べ、生き延びてきた先輩たちに敬服しながら、「これからをどう食べるのか」に関心と愛情を抱きながら仕事をしている。

消化とか、脳とか、形質の話が長くなった。

第2章では文化の話をしようじゃないか。

COLUMN ｜ アンビバレント

問：ヴィーガン（菜食）食品のメーカーとして活動している『ULTRA LUNCH』ですが、この会社はベジタリアン生活の普及を推奨しているのでしょうか？

答：いいえ。

ポリシーとして、なんとも分かりにくいですよね——。

この部分を噛み砕いてお話してみたいと思います。

私（筆者）自身、3年とすこしの間、ヴィーガン生活（肉、魚だけでなく乳製品、卵も使わず植物性食材だけで食事をまかなう生活）に楽しくしっかりと取り組んだ経験があるのですが、端的に言いますと、とにかく大変です。

あなたの周りに真剣なベジタリアンがいらっしゃり、そして、もしもその方がちょっととっつきにくい、ちょっと付き合いにくい人であったとしても（経験上、実際ヴィーガンのかたにこの傾向は弱くないように思います）、その生活を継続されていることに関しては尊敬した方が良いと思います。

一日の大半を献立構想と調理に費やすことになりますし、社交的な外食のチャンスを犠牲にすることがかなり増えます。

ごく親しい友人と居酒屋さんで一杯やるなら冷奴や枝豆などなどでしのぐ方法もあるのですが、仕事相手からランチミーティングに誘われたら高い確率で本当に困ります。ベジタリアン専門店以外では、お昼のセットメニューや定食で菜食メニューのみで構成されたものなんて存在しませんから。

友だちや仕事が減ります。ファッションやスノビズムで遂行できるようなものではない苦行に近いものがあります。

そして、かなり綿密な栄養計算のもとで献立を設計したとしても、一年二年と厳密なベジタリアン生活を続けていると、私は心身に不調を感じるようになりました。

栄養失調に陥っているはずはないのに、爪や髪の質感は以前とは異なっている。つまり、何らかの影響は実際に出ていたということなのでしょう。

私には、ベジタリアン生活を推奨する資格がないのです。

しかし、それ以上に、『ULTRA LUNCH』という事業を通じて私が提案したいことが他にあるのです。

近い将来「いま食べているような肉、魚」はかなりの高級品になります。本書の中でも詳しくレポートしていますが、間違いないです。

でも、そういうことを心配しなくて良いと言いたいのです。「穀物と野菜だけで成立するご馳走」があり、日常にたまにそんな日を交えながらカラフルで楽しい食卓にしていくことは難しくないのです。

いま、とにかく日本人は肉を食べすぎていると言って良いと思っています。これは様々な尺度から科学的エビデンスも示されています。

昔みたいな粗食生活になっちゃうのかぁ、なんて思うかも知れませんが、今の粗食（?）はとてもリッチで見た目にも華やかなご馳走です。

このようなスタンスなので、商品に「ヴィーガン」と銘打つなという意見もあります。でも、これは例えば韓国料理専門店で働くなら韓国料

COLUMN | アンビバレント

理しか食べちゃダメ、というのと同じ話かと思いますので聞き流しています。

韓国料理って美味しいよね。それと同じで、ヴィーガン食だって結構美味いんです。

もちろん、アレルギーなど健康のこと、信仰のこと、倫理のことを理由に菜食生活をなさっている方々を否定するものではありません。

2章 ● 栄養満点！

恵まれ、危険に満ちたアフリカ

私たちは、大脳を発達させ、「料理」をして、晴れて人間となった。

貧弱なアゴと歯の代わりに振り回したのは石器だ。天敵に囲まれたサバンナの見晴らしがいい大草原でも、火に守られて安全に眠りにつけるようになった。

チームワークを駆使し、他の動物ではなし得ない高度な狩りを行えるようになり、調理によって食べ物を柔らかくし、速く食べることができるようになった。命がけの毎日ではあれど、東アフリカの広大なサバンナで長年にわたってゆったりと生きてきたのである。

250万年前に私たちの先輩ホモ・ハビリスが意図的で習慣的に肉を食するようになったとして、それから遥か200万年以上もの間は大きな変化もなく、ゆっくりと生きてきた——そして、それからの進化は幾何級数的に進む。

この章では、進化のティッピング・ポイント（劇的分岐点）を迎えてから私たちがどう生き、食べていたのか。主にそこを話したい。

ところで、私たち現代人の大先輩は太古の昔にどんな狩りをしていたのだろうか。大人数でマンモスや象、サイなどの大型獣に挑みかかっているシーンを思い浮かべるかたが少なくないのではないか。もちろんそういった狩りも実際に敢行されていたようである。だが、勇敢かつ壮大でロマンティックなイメージばかりを持ちすぎない方が良さそうだ。

何しろ日々の食事を得るための日常生活、生活行動なのだからドラマティックなものばかりではない。いや、これからお話するように、見栄えする出来事は極めて稀であったかもしれない。日常生活のことを議題にしたい。

例えば、狩りをする百獣の王ライオンと、その残り物にあずかるハイエナについてだ。ライオンが強くて、群れになって上手いことやってるのがハイエナだと、私たちはなんとなくそんな序列で考えてしまう傾向がある。だが、野生動物であっても日々の生活の大部分は分かりやすい典型的なイメージで満たされてはいないのだ。

ライオンが食べる肉の半分近くは、他の動物がしとめた獲物を奪ったものだったり、腐肉だったりする。自分の狩りでしとめたものばかりで生きているわけではないのだ。そして、ハイエナは、腐肉よりも自ら狩りをした獲物を食べることのほうが多かったりする。他の動物（ライオンなど）の食べ残しやおこぼれにあずかってばかりいるわけでは決してない。

人間も然りだ。

人間が肉の味を覚えたきっかけは、サバンナに転がっていた死体、あるいは他の動物が食べ残した腐肉であったとされる（注）。

身体能力では他の動物に劣る私たち人間が、自ら狩りに挑む危険を考えれば充分に納得のいく話だろう。

道具の使用やチームプレイによる高度な狩りを行えるようになったとはいえ、それでもマンモスや象、サイなどの大きな獲物が私たちの先輩にとって主要な栄養源であったわけではないのである。

また、人間は捕食者（狩りをするもの）であると同時に被食者でもあった。命をせめぎ合う捕食者同士の戦いに参加せざるを得なくなってしまったのだ。

注：ダニエル・E・リーバーマン『人体600万年史』早川書房（2015年）に詳しい。

例えば、いまでも、タンザニアのセレンゲティ国立公園（マサイ語で「果てしなく広がる平原」の意）ではチーターの子どもがライオンに襲われて死に、しかも、その屍は食べられもせずに放置されることも少なくないという。つまり、食べるために殺されるのではなく、捕食者ライバルを「間引く」ために、子どものうちから殺されることもあるのだ。

食べるために、おこぼれにあずかり、腐肉を見つけ、今度は狩りもするようになる。そしてさらに、狩りをするライバルたちに負けじと攻撃をしあう。それが毎日続くのだ。このように捕食者に仲間入りをし、被食者にもなりえる大きな危険の中で、肉を食べ始めたのが人間なのだ。

ともあれ、肉の味とその効用を覚えた人間にとって、肉は食糧難の際にもむしろ経済的な栄養源となり、もはや不可欠な食べ物になった。

経済的とは？

なにしろ、慣れ親しんできた芋や果物が尽き果てたときにも肉は「そこらへんに居た」のだ。アフリカ東南部に位置するマラウイ湖の太古環境の研究（注）では、

13万5000年前から7万5000年前の間にかけて、水深が（現在と比べて）600m近く下がった時期があったことを示している。この水深の低下は、湖全体の水量の95%が失われた計算になる。つまり、アフリカ東部が長期間にわたって激烈で大規模な干ばつに見舞われたと考えられている。

環境が激変するとき、得られる植物が僅かになってしまうこともあっただろう。組織的な農耕を覚える前の人間にとって、大きな環境変化によって得られるカロリー源として、それが手に入る・入らないという状況が激変してしまうのは肉や虫よりもむしろ植物であった。

太古の昔においても「その辺に転がり続けている肉」が「経済的」であったというのはこういう理由による。だから、日々の動物性食料の調達は、小動物ではあるがハリネズミやウサギ、あるいは虫が中心だったと考えられている。

いずれにせよ、肉は経済的であり、料理によって食べやすく、栄養価の高い逸品であり続けてきたのだ。

加えて、驚くべきことに、M・モース（文化人類学者、仏）や、C・レヴィ＝ストロ

注：T. C. Johnson 2007 "East African megadroughts between 135 and 75 thousand years ago and bearing on early-modern human origins." Proceedings of the National Academy of Sciences

ース（社会人類学社、仏）は、人間がマンモスや象など大型獣を狩るのは家族や仲間を養う栄養の獲得が目的ではなく、文化的な理由の方が大事だったのではないかと言う。レヴィ＝ストロースが1960年代から指摘するには、私たち人間にとって、大きな狩りは栄養事業よりもむしろ文化事業（あるいは祭り）としての側面が強いのだ。

そもそも、もしも栄養目的で狩りをするのであれば植物の乏しい季節に行うはずだろう。だが、現代の狩猟民も豆やナッツなど食料が豊富な季節に狩りをする傾向がある。大きな獲物を捕らえることは、お腹を満たす、栄養を確保する、自分や家族、仲間の命を守る、ということよりも他の目的があるようなのだ。

21世紀の今も各国の成人通過儀礼などに、危険を伴う儀式や神事を経験することが求められる事例は数多くあるが、どうも大型獣に立ち向かう狩りにもこういった意味合いが含まれているようなのである。

命がけのチームプレイで大型獣をねじ伏せ、その肉を分け合い、火にかけ、ともに食らう。その食事会には誰が勇猛に獲物へ取り付いて誰が素晴らしい一撃を加えたという思い出話をする「アナウンサー」のような役割の人間もいたのだろう。

これらの行為全体が仲間意識をより強固なものにした。

そして人間は大きな集団で行動をとるようになり、社会を構成し始めた。

人間が他の霊長類と全く違った進化を成し遂げられた理由を「料理」と「大脳」に加えて考えるにあたって、「社会脳仮説」（注）も役にたつ。

人間は、社会生活を運営するために他人と協力し合ったり、時には騙したり、短期的な関係をやり過ごしたり、長期的な関係を維持するために必要な妥協や忖度を考えたりする。現代人でも共感できるこのような、忖度や妥協といったときにネガティブとも思える脳の使いかたも人間の進化には必要だったと言われている。やはり我々人間は他の動物とはちょっと違う思考をして進化してきたのであり、その進化には大脳が極めて大きな役割を果たしている。組織的で計画的な利他行為というのはとても複雑な社会コミュニティのメカニズムを前提にする。

この社会脳仮説と人間社会の複雑さについて、例えば、「ウィル・スミスと忠臣蔵」で説明してみるのはどうだろう。

2022年4月に執り行われたアメリカ・アカデミー賞授賞式での一件だ。人気俳優ウィル・スミスが、アカデミー賞のプレゼンターであり長年の友人でもあるコメディア

注：心理学者・哲学者であるニコラス・ハンフリー（英）らが提唱した。

ン、クリス・ロックを壇上で平手打ちした。クリス・ロックが、ウィル・スミスの妻の身体的特徴をあざけるようなジョークを発したからだ。
アメリカでは、「たとえ理由があろうとも公共の面前で暴力を振るうことは許されない。罰則を与えられるに足る行為だ」とされる。実際にウィル・スミスに対しては、米アカデミー協会から退会せざるをえなくなるほど、批判された。

一方、日本では、自身の努力で克服することの難しいハンディキャップを持つ奥様を軽口で揶揄したクリス・ロックに対する「義憤」として、壇上に登ってまでビンタをしたウィル・スミスに共感、というと言いすぎかも知れないが、同情をする声も多かった。マスメディアである朝日新聞『天声人語』でさえもウィル・スミスに肩入れをする論調だったのだが、これは忠臣蔵の舞台背景と重なる部分が大いにあるのではないかという指摘もされていた。面白い対比なのではないかと思う。

吉良上野介に侮辱された浅野内匠頭は、江戸城内での将軍関連イベントが執り行われている最中にもかかわらず、吉良上野介を短刀で切りつけてしまった。将軍徳川綱吉は激怒し、浅野内匠頭は切腹、そして赤穂藩はお家取り潰しになる。対して吉良上野介サイドにはお咎めなし、という騒動のあらましは、ウィル・スミスとクリス・ロックの一件ととても似通っている。

ただ、ここから忠臣蔵では物語が展開し、赤穂藩家臣たちの復讐劇となる。喧嘩両成敗の世界観を好む日本人にとって、忠臣蔵は浅野内匠頭と大石内蔵助陣営に同情が集まる人気演目となっている。

アカデミー賞事件のあと、ウィル・スミス側の取り巻きたちが復讐を企てたとして、それがアメリカ人の共感を得たのかどうかは分からない。だが、物語の文脈に対して様々な解釈を行うことができる人間の複雑さを表す対比なのではないかと思う。

この件に限らず「全世界共通の倫理観」なるものを構築するのが難しいことは日々の国際ニュースでも感じるところだ。

人間は、「文化事業」としての狩りを行ったり、忖度や妥協というスキルでグループをうまく形成した。ウィル・スミスや忠臣蔵にまつわる解釈の多様性についても、どちらが良い、悪いと一概に言えないものであるが、人間は大脳をフル活用し、多様な社会や文化、価値観を形成して生きてきたのである。

世界への旅!

効率的な食糧として肉を獲得し、料理や大脳の発達に加えて、グループの価値観や社会生活を手に入れた人間は、恵まれたアフリカ以外でも生きていくことが出来るようになった。

毒の有無はもちろんのこと、硬すぎたり強烈な苦味渋味を持っていたり、美味しく食べることができない植物に囲まれた土地でも、そもそも日照り続きで植物を見つけることさえ難しいようなときでも、部族を構成する人間の数は増えてきたし肉を仕留めることができれば飢えを凌ぐ目処が立つようになったのだ。

「出アフリカ」だ。

単一種としてあまねく地球全域に生活する人間だが、現在、私たち地球上の人間「全員がアフリカをルーツとする説（アフリカ起源説、アウト・オブ・アフリカ説）」があ

る。（注）

なぜ住み慣れたアフリカを出発したのか、詳しく解明されているわけではないが、主に次のような理由があるとされている。

- ◦気候変動によってやむなく
- ◦獲物を追いかけるうちに遠くへ行った
- ◦他のグループとの争いを避けるため
- ◦好奇心

おそらくは、単一理由ではなくいくつかの要素が組み合わさった結果だと思うのだが、なにはともあれ私たちの先輩は東アフリカから地球のあらゆる土地にまで遠征し、いまも世界中のありとあらゆる土地に定住している。

ロンドンの労働者階級に出自を持つ人類学者のクリストファー・ストリンガーと、ジャーナリストのロビン・マッキーの共著である『出アフリカ記　人類の起源』（岩波書店、2001年）は、市井の科学者であるストリンガーがボロ車で悪戦苦闘しながらヨ

注：生物学者のアラン・ウィルソン（ニュージーランド）らを始めとする多くの科学者が研究してきた「単一起源説」のこと。

ーロッパ中の人骨化石を取材旅行し、当時の人類学で定説とされていた多地域進化説をひっくり返すアフリカ起源説を提起する経緯が綴られた読み物、いや、冒険小説としても非常に面白い傑作だ。そこにも身体能力的に私たち人間よりも優れていたはずのネアンデルタール人が絶滅してしまった理由(の候補)として、彼らの社会的コミュニケーション能力の不足が挙げられている。

引用が長くなるが、とても興味深い部分なので紹介したい。

あらゆる霊長類のうちで最も大型で、チンパンジー、オランウータン、テナガザル、そしてヒトとともに、ヒト上科という類人猿の分類群を構成しているこの動物は、極めて平和的な、植物を好むベジタリアンである。彼らがひどい暴力をふるうことはめったになく、ときおりちょっとした小競り合いをする程度だ。最高の家族でも、もちろん口喧嘩くらいはするだろう。

ところがこのゴリラには、ひとつの顕著な特徴が存在する。同じ森の中で別のコミュニティにいた2頭のオスからミトコンドリアDNAと呼ばれる遺伝物質標本を採り、エスキモーとオーストラリア・アボリジニからも同じ標本を採って、互いに比較してみると、驚くべき事実を知ることになる。後の二組(人間)が、前者二組(ゴリラ)よりも遺伝的にずっと似通っているのだ。エスキモーとオーストリア・アボリジニは互いに地球半分ほど隔たって暮らし、しかも、あまりにも違いすぎる環境で生活している。それに対してゴリラは同じ森の中で暮らしている。にもかかわらずゴリラ2頭の遺伝子構成には、距離的に極端にかけ離れた関係にあるホモ・サピエンスの成員どうしよりも、ずっと大きな変異が存在するのである。

しかし異常なのは、ゴリラでもなければチンパンジーでもオランウータンでもない。それぞれは生物学的な変異性の段階的変化を満たしている。

奇妙なのはヒトの方なのだ。(クリストファー・ストリンガー、ロビン・マッキー著『出アフリカ記ー人類の起源』岩波書店(2001年)、第5章「全人類の母?」より)

ストリンガーによるこの指摘はとても面白い。

人間が単一種として世界に広まったこと、それはアフリカから遠征した先輩から広まったこと、ストリンガーはこれらを現在時点の定説にした。ジャイアントキリング(大番狂わせ)とも言えるくらい大きな歴史認識の変化となったのだ。

それまで考古学は貴族などの特権的階級者による高貴な学問であり、もしかするとそれが故に、我々人間は世界各地でそれぞれ独自に進化した、つまりアフリカ人や欧米人、アジア人は早い時期からルーツを分かち隔てていた(多地域進化説)とする、ある種人種差別の正当性を裏付けするような言説が流布されていた。

それを、アフリカから出た極めて小さな集団が我々現代人全員の直接の母であるとした。私たち人間は肌の色に関わらず、言葉の違いに関わらず、遺伝子的にほぼ単一種であるという認識を、ストリンガーは打ち立てた。

それぞれ遺伝子的に差異のあるゴリラやチンパンジー同士は、今でもそれぞれそのままの姿で地球上に生きている!でも、私たちホモ・サピエンスだけは単一種としてしか生き残れなかった。なのに地球上のほぼ全ての土地に住み、いわば地球を支配しているのだ!

不思議なことである。

とはいえ、先輩たちは、地球上に広がっていくにつれて食べることについて苦労したのではないか?

海外旅行に行って、スーパーや市場、食料品店で途方に暮れたことのあるかたもいらっしゃるだろう。どうやって食べれば良いのか見当のつかない野菜や見たことのない魚、読めない文字で書かれたパッケージで包まれた麺を目の当たりにする。

私は、タイのチェンマイに宿泊した際、麺だと思って市場で買ったものが何かの動物の腸の干物だったという経験をしたことがある。いま、思い出してみても腸だったのかさえも定かではない——。茹でてみたものの調理できずに捨てざるを得なかった。

私たち人間は単一種として地球上あまねく拡大し生きているわけだが、その土地ごとに食べられるものと食べられないものがある。我々の先輩たるホモ・サピエンスが何十万年もの昔に経験した遠征地での苦労はいかほどであったか。

人間は生存のために炭水化物と脂質(少なくともそのどちらか)を大量に必要とする。温帯地域で暮らすならば植物(炭水化物)は必要不可欠な食べ物になる。なにしろ人体にとって安全なタンパク質摂取量の上限は摂取カロリーの50%までなので、肉を得られたとしてもそこで得られるタンパク質と脂質に加えて、他の栄養素は植物に頼ることになる。

植物の乏しい北極圏や南米の高緯度域においては脂肪が必須のカロリー源となる。極地での経験がもとになっているであろうレポートでは、そこでの寒さよりもむしろ、新鮮な獲物が捕れにくい時期になると赤身ばかりの食事となり、血中アンモニアの有毒化や肝臓腎臓の機能障害や、保水力の低い赤身メインによる脱水症状などが文字通り「致命的な（まさに生死を分かつ）」事態を招く著述も数多くある。このような事態は、「ウサギ飢餓」「脂肪飢餓」などと称される。

肉の効用を手に入れたことで私たちは地球上の各地へ生息地を拡げることができた。なのだが、やはり植物性食材も必要としていた。

このような私たち人間の栄養を満たすため、そして食べることを喜びにまで育てるにいたるべく、世界各地において多様でありながら「奇妙な統一感」を持つ食習慣が育まれるにいたった。

私たちが料理をする大脳を持った、単一種として拡大したからなのではないだろうか。

世界の食文化〜セックス、政治、社会活動

人間に限らず、多くの動物に生物学的な特徴という意味でオスとメス（注）が存在し、有性生殖をおこなう理由は大きな環境変化に対応するためだ。

無性生殖、つまりクローン繁殖では自らを分裂させて、あるいは遺伝子コピーを子に託して繁殖をおこなう。とても効率が良い生殖と言えるのだが、全く同じ遺伝子構造を持つ子孫を残し続けるために変異種というバリエーションを作ることができず、大きな環境変化に対応する能力が乏しくなる。気温が高くなる、低くなる、餌が不足する、ウィルスやバクテリアなど寄生者が発生するなど、環境変化が生じた際に全個体が適応できずに一気に絶滅してしまうリスクが伴う。性別ができた要因は遺伝子を交換して多様性を高めることだったわけだ。

当然だが、これは人間に限った話ではない。魚も多くの虫も鳥もライオンもサルも、

注：本稿では生物（動物）としての性差を指します。

こうやって有性生殖で遺伝子バリエーションを子孫に持たせることで生き延びてきた。だが、人間だけが異なる生態を持つにいたる。そう、生まれてから何ヶ月も一人で歩くことも食べることもできない子どもを生む動物は人間だけなのだ。

そんな未熟な状態で世界に産声を上げる理由は、大きな大脳だ。また大脳の話だ。胎児の頭が大きすぎて骨盤を通りにくいのだ。

未熟な状態で生まれる赤ん坊を食べさせ、育てるには夫婦および親族、社会的な共同作業が必要となる。食べものを分け合う生きかた、性別による分業も生まれることとなった。(これは人類史的な男女分業の話だ。現代のジェンダー論については第4章で触れる。)

現代に比べてヒトの寿命が短く、医療も洗練されていなかった時代の話である。生殖と出産は優先度も危険も高い事業だった。いまも家畜をあまり持たず、狩猟採集の生活様式を保つ南米の先住民たちの間では、肉とセックスがかなり直接的に交換されることが確認されているという。女性たちは毎日の生活に肉が不足しはじめると最初は甘い言葉でおだてたり、夫が動かなければ罵ったりして狩りへいくことを急き立てる。女性たちが集団となって男性をつるしあげるような脅迫をおこなうことさえあるという。

結局男性はこの抗議活動に従う。村に肉がなくなると妻たちがいっしょに寝てくれなくなることを知っているのだ。

そして、ヘム鉄の作用なのだろうか、肉を摂ることで女性の初潮が早まるとする研究もある。生殖、出産、育児という体力の必要な事業を担う女性が男性に栄養的サポートを求めることに不自然はない。伝統的な男女分業においては、「毎日ではないが危険を伴う」仕事を担当する男性は多少怠惰に過ごす日があっても女性から優しく丁重に扱われることがあるが、あまりにだらけているとセックスを拒否されるに至るのだ。

チンパンジーは自分の食い扶持を自分自身で賄う生活を基本とするが、私たちの先輩は、肉を共同で狩猟し、さらに調理も共同して行い、動物界のみならず霊長類界でも例外的な共同での子育てを身につけた。その中で、他者の心の理解、同情や共感、模倣、教育、言語コミュニケーションなど、ヒトに固有な諸能力が培われていったのである。

社会脳仮説の一例としてウィル・スミスと忠臣蔵の例を挙げたが、同じホモ・サピエンス同士であっても生きる社会やコミュニティに応じて考え方は変わるのである。

このようにして、私たちは進化を加速させていった。社会生活、都市文明を築き、料理も他の動物にはとてもとてもなし得ない高度なものとなった。

物語を現代にまでグイグイと進めようではないか――現代といっても6000年前くらいのことであるが。とはいえ、250万年の旅からすれば「ついこないだの話」だ。骨格化石だけでなく「人間自身による直接的な物的証拠」が残り始めた時代から話してみたい。私たちが教科書などで習い知った四大文明（メソポタミア、エジプト、インダス、黄河の古代文明）という定義は日本以外ではあまり使われることがなく定義もあいまいなようだ。南米圏のメソアメリカなども含まれるべきだと思うし、四大文明は日本における学校教育のために暫定的に謳われたものなのかもしれない。ともあれ6000〜4000年くらい前には人間が都市を形成するレベルにまで進化していたことは間違いない。実際に粘土板（タブレット）に残されたくさび文字や都市遺跡などがあるのだから。

南フランスはニースに生まれ、パリ国立高等研究院教授として『最古の料理』（邦版法政大学出版局りぶらりあ選書、2003年）を著したジャン・ボテロ（料理愛好者でもある）は、メソポタミアの地下に眠っていた粘土板遺跡から楔形文字を解読し「現在時点で世界最古」のレシピを記録している。

炒ったういきょう粒が必要である。

炒ったクレソン粒が必要である。

炒ったねなし葛粒が必要である。

炒ったクミン粒が必要である。

（以上を）お前は（生の）ねなし葛を入れた水6リットルで長時間煮て、そこに適量の胡瓜（？）を加える。

（全体が）1リットルになるまで煮詰め、
次に濾過する。

そこでお前は（肉を料理するための動物を）屠り、

（煮込むためこのスープに）投げ入れる。


扱われているのはまさに「クール・ブイヨン（フランス料理における野菜だしのこと）」の一種である。これを事前に用意してその中で肉を煮るわけである。

なつめやし120リットル
ピスタチオ10リットルを
メルスを作るため（受け取った）。
王の食事。
キスキッス月14日。ジムリリム王による
アッシュラッカーの街の占領の翌年。

メルス（粉に液体を加えてかき混ぜるパンのような菓子の一種）の製造が専門職人に任されていたこと、そしておそらくはこの職人が秘伝あるいは技巧を身につけていたことがわかる。同じく理解できることは、少なくとも撹拌作業のための大型容器が利用されたこと、製品に味とこくをつけるため、十分練り上げた生地に様々な添加物（なつめやし、ピスタチオ、さらに干しいちじく、干しぶどう、りんご（?）、ときに蜂蜜）、香辛料－黒種草（?）、クミン、コリアンダー、さらにはわれわれの目から見ると率直に言って不調和なのだが、にんにくさえ加えられていたことである！全てを合わせ火が通ったとき、一種の「焼き菓子」の体裁をとる品が姿を現したことだろう。ただし加熱法の特徴については何もわからない。（ジャン・ボテロ『最古の料理』邦版法政大学出版局りぶらりあ選書（2003年）より）

最古の料理というにはあまりにも洗練されていないだろうか。引用部分にも記載されているように、当時は料理人というのは専門職的な存在であったようで、粘土板に詳しい分量や火の通し方などは記録されていないが、そういった詳細は師匠から引き継がれたり現場で学ぶものだったのかも知れない。それにしても堂々たる本格中東料理、というより西洋料理である。いきなりクミンやコリアンダー、ういきょう（フェンネル）、だ。風味絶佳ともいうべき料理だ。

あらゆる食べものと調理法を定義づける辞書とも言うべき書物、ハロルド・マギー著『キッチンサイエンス』（共立出版、2008年）の第8章「植物由来の風味食材」にはこう書かれている。

ハーブ及びスパイスは、食べものや飲みものの風味づけとして使う食材である。ハーブは植物の葉（生または乾燥）、スパイスは乾燥させた種子、樹皮、根を細かくしたものである。使用する量はわずかで、実質的な栄養はない。それでもこれらの香辛料は古くから食材の中でも最も珍重され、最も高価であった。古代には、単なる食品という以上のものであり、薬効や超自然的な効果さえもあると考えられていた。生贄の焚き火は芳香をのせて神のもとへと天をのぼり、それと同時に地上の民は天国の香りを嗅いだように感じた。スパイスはアラビアや伝説の当方の国々など、はるか彼方からもたらされた。この楽園の芳香に対する渇望の高まりが、ヨーロッパ人を世界探検へと駆り立てたわけで、それがアメリカ大陸の発見、現代世界を形作ることとなった生物学的・文化的交流へとつながった。

現在では、ハーブやスパイスが楽園からの使者だとか、天国への使者だとか考える人はあまりいない。それでも、かつてないほど使われるようになったのは、ハーブやスパイスが確かに別の世界を食卓へと運んでくる使者だからである。食物の風味づけはそれぞれの文化に独特なもので、ハーブやスパイスの使い方次第でモロッコの味にもタイの味にもなる。農業の発達によって、いつも同じような食品が手に入るようになったが、それ以前に生きてきた我々の祖先は、多彩な感覚を駆使して食を楽しんでいた。ハーブやスパイスはそれを再認識させてくれる。においというのはごく身近な環境を体感する感覚のひとつで、ハーブやスパイスを使えば食べものに森や草原、花園、海岸などへの連想を与えることができる。自然界なじみの場所を、一口の食べものの中に再現して見せる。（ハロルド・マギー著『キッチンサイエンス』共立出版（2008年）、第8章「植物由来の風味食」より）

生きるための栄養やカロリーではなく、空想を遊ばせ、それによって食欲の増進を、食べる喜びを得るためのものとしてハーブやスパイスが定義づけられている！

ちょっと旅をしてみようか。モロッコのミックススパイス、ラスエル・ハヌットはこうだ。クミンパウダー、コリアンダーパウダー、ブラックペッパー、シナモンパウダー、アニスパウダー、ターメリックパウダー、ローズペタル、オールスパイス、カルダモン、生姜、ナツメグ、唐辛子、クローブ、サフランなどなど、レストランによっては40種以上のブレンドがなされる。

ハーブを使うのが得意な中東には、ザータルというブレンドがある。スマック、ドライのタイム、ゴマ、オレガノ、アニス、これらをオリーブオイルと塩と混ぜてペースト状にしたものでパンやサラダを彩る。

スパイスと言えばインドからも紹介しよう。ダナジラというクミンとコリアンダーの2つをブレンドしたシンプルなものを土台に、ブラックペッパー、シナモン、カルダモン、ナツメグ、クローブ、フェヌグリークなどを加え、レストランごと家庭ごとのガラム・マサラを調合する。

アメリカ南部の移民料理ケイジャンでは、パプリカとクミン、ブラックペッパー、タイム、オレガノ、唐辛子、セロリシードなどなどをブレンドし、バーベキューや豆のシチューを作ったりしている。

アフリカでも、たとえばエチオピアなどで伝統的かつ日常的に使われている辛いスパイス処方ベルベレでは、唐辛子、クミン、メース、クローブ、シナモン、タイムが調合される。

これら全てが誰の著作権にも属さないパブリックドメインとしてずっと各地に固有の風味として伝承されている。日本でも七味唐辛子に代表されるように食卓に必須ともされる処方が世界にはいまも数限りなく残されている。ケンタッキーフライドチキンのスパイス処方は秘密の鍵に閉ざされているが、上記したような伝統的スパイス配合を使えばもっと自由な味付けを楽しむことさえ出来る。

スパイスのブレンドによって世界旅行を楽しむことができる。まだ足を踏み入れたことのない国でさえ料理によって夢想することができる。言い換えれば、私たちは、これらの「風味（発酵を含む）」を除くと、意外なほど似たような食材で料理をしているということでもある。

米、小麦、トウモロコシ、豆、魚、肉など、栄養を摂取するための食べものは地球上あらゆるところで同じようなものが選ばれ、発酵を含む風味によって気候や風土、保存性などの必要性に応じたバリエーションが登場してきたと言えるのではないか。

これはロマンではないか。日本の都市部ではありとあらゆる国の伝統料理を楽しむことができるが、どこの国の料理も昆虫食やごく一部の希少動物食をのぞいて、食材そのものは普段の食卓でも見られる野菜や肉で調理されている。風味の多様性で各国の料理を楽しむことが可能なのだ。

これはなぜなのか?

私たちが全員アフリカに起源を持つ単一種であることも理由のひとつにはなるのだろうと思う。「人類みな兄弟」は、こと食に関しては一理ありそうだ。

いまも狩猟採集文化を現存させる部族などを長期間観察する調査研究の多くにおいて、植物性食物を仲間や他の家族に分け合うという習慣は基本的に確認されないという。足りなければ自分で取りに行けば良いからだ。

しかし、集団的狩猟の獲物については、ほぼ絶対というくらいに自らが所属するコミュニティの中で分け与えられるという。協力しあって得られた肉(もちろん魚の場合もある)は、狩りの手法、解体の仕方、調理方法にいたるまで全てが伝承すべきチームワークなのだ。こういった「みんなで食べる」という何万年と続いた行為が土台となり、その土地に応じた「風味」を醸成するにいたった。

食べることが生存のためだけではなく、文化を支える礎となったことにも肉をみんなで食べるということが影響していたと考えられるのだ。いろいろな地域で、その日常生活に合わせた栄養満点の食事を作り出し、生命維持以上の意味を食べものに見出した。

　私は人間のクリエイティビティに感動する。


　肉という、狩るにも食べるにも集団行動が伴う食べものを手にした私たち人間は、生存戦略だけでなく文化を得るにいたった。肉の持つ初期の「経済性」が、料理や大脳の発達、人間の生存と栄養、そして社会やグループの成り立ちに関しても経済的であったというのがここまでの流れだ。

　これから、人間は狩猟採集に加えて畜産業と農業を始めることとなる。より安全で効率的で「豊かな」食べものを得るべくして。ここで肉はさらに別の意味での経済性を持つようになる。

　食べるに良い、生きるに良い肉は「売るにも良い」のだ。

COLUMN ｜ ダイエット

本書ではダイエット（DIET）という単語を広く食事として使っているのですが、日本人にとってダイエットという単語は痩せるための食事療法という意味でとらえているかたがたも多いかもしれません。

実際、私が自分の店で接客をする中で最も多く質問されたことは、「菜食はダイエットに効果的ですか？（つまり、痩せますか？）」でした。

このコラムでは、この問いについてお話ししましょう。

問：菜食は痩せますか？

答：痩せることも太ることも可能です。

いやはや、元も子もない。

菜食生活をおこなうと、必然的に三度の食事を真剣に考えるようになります。

スーパーでの買い物でも考えねばならないことは多いし、豆を浸水して戻したり調理にも手間と工夫がともないます。

COLUMN | アンビバレント

したがって、菜食で生活を組み立てようとすると必然的に深夜のながら食いや食べ過ぎが減るし、外食でも空腹にまかせて適当に入ったお店で手早く済ます、という食べかたができなくなります。

こういう生活になりますので、痩せやすい(太りにくい)という効果はあると思います。

ちょっと意識的な生活を強いられることになりますが、痩せるために菜食を取り入れてみるというのは、思考しながら毎日の食事を摂ることができるという意味で効果があります。

そして、もしもあなたが食事を変えることで痩せたいと考えているならば、すぐに効果が得られて成功確率もとても高い方法があります。

それは「生で食べること」です。

2006年にイギリスBBCで報道された実験では、高血圧症の改善をはかるために、被験者が類人猿に近いような食生活で12日間をすごしました。

果物、野菜、ナッツ、魚、などを栄養学者の立ち会いのもとで毎日充分なカロリー、栄養をとれるように計算しながら「生のまま」たっぷり食べたのです。

被験者の血圧は低下し、目に見えて体重も落ちました。

他の研究からも食事を生のものに限定することで体重もBMIも減少することが示されています。生のまま食べる（ローフード）は、ちょっと極端な手法ではありますが、支持者の少なくない食事法です。

ただ、この食事法では男女ともに生殖機能が低下することも指摘されています。

本書第1章でも触れましたが、人間は加熱調理を行うことで他の動物や類人猿とは全く異なる進化を得ることが可能になりました。

「いまは古代とは違う。十分進化を遂げたのだから、もはや加熱調理して太りやすくしなくても良い」と思う方もいらっしゃるかも知れません。その考え方にも一理あると考えます。

その一方、咀嚼にも消化にも時間と体力を使う生食を基本としてしまうと、体はずっと消化のために体力を使い続ける、そしてあなたの頭はずっと今日食べていい食材のことを考え続けねばならないことになります。そういう訳で、私は生のまま食べる食事法は推奨したくありません。

ということで、最初の問いにお答えすると、

○菜食に取り組むことで毎日の食べもののことを考える、そして調理することに時間と意識を使うので、結果として痩せやすい（太りにくい）ということは期待できるかと思います。

○それよりも成功確率の高いのは「生食」であるが、人間が人間たるきっかけとなった「加熱調理」を放棄するのは、身体にとって負担の大きい方法なのではないかと思います。

○食材のスペックだけで言うと、加熱する限り菜食も肉食も太りやすさに大差はないと考えます。

3章 ● 過ぎたご馳走

栄養転換というコンセプト

例えば、あなたの部下がひとつの大仕事を成し遂げた。

例えば、週末は息子さんの誕生日だ。

そんな時に「ちょっと良いもの食べようや」などと言って連れ立ち、豆腐屋やサラダ屋などを訪問することはなかなか考えにくいのではないか。

もちろん湯豆腐は奥深い料理だし、仕込みの行き届いたトマトやセロリ、ほうれん草を食べれば野菜が持つ深い味わいに驚くこともあると思う。

だが、そういうことに共感してくれるよりも、転職を考える部下の方が多いかもしれないし、息子さんが反抗期をこじらせる可能性もあるだろう。

「そこはちょっと大将、良い肉を食いに連れてってくれや」という話になるのだ。我々日本人の場合は鮨もそのハレの日のご馳走に含まれるだろうけど——余談になるが、海産物の多くが高級品となって久しいね。

普段から充分な肉を食っているではないか。自宅でも弁当屋でも定食屋でもレストランでも肉料理はそこここにあり、なんなら全てのコンビニでレジ隣にフライドチキンが常に並んでいるではないか。

問：なんで、また肉を食べなければお祝いの食卓にならないのか？

本書は第二章まで、肉を食べる行為を好意的に、むしろ人間にとって必要にして不可欠だったというトーンで話を進めてきた。間違いなく私たちを人間にし、私たちに文明と文化をもたらしてくれたのは肉、調理された肉だった。

だが、ここから物語の進む方向は切り替わる。

答：高級肉は高級すぎるし、低級肉は低級すぎる。だからお祝いの食卓には高級肉が必要なのだ。

つまりはそういうことだろう。形質や遺伝子において両者にはなんの変わりもない。だが、両者は完全に別物なのだ。

高級で美味しい肉には、ビールも飲ませるしモーツアルトを聴かせるし入念なマッサージさえする。きめ細やかなサシ（脂身）のためだ。一方、どこのスーパーマーケットでもコンビニエンスストアでも手軽に安価で手に入る肉は、檻の中に密集させられている。グロテスクで扇情的な描写に紙面を割くのは省こう。これまで取材したことを書くこともできるし、その出典、参考資料も数多く備えている。が、工場的畜産について客観的に冷静に公平に書くには文字数を使いすぎるし、本書は特定の事業者や個人を糾弾するために書いているわけではない。でも、高級な肉については多少の事例を共有してみても良いだろう。

第一章、第二章でご紹介したとおり、肉を調達し料理して仲間とともに食らう文化にバイタリティと絆を象徴させる歴史証拠は数多い。

しかし、肉食慣習の急拡大は人間の進化プロセスとは軌道が異なる。それは食文化ではなく人為的なハイプ（扇動）なのだ。

あなたは肉が食べたかったのではない。

あなたは肉を食べさせられていた。

食べるに良い、生きるに良い肉は「売るにも良い」。

いま私たちが食べているもの、それをざっと眺めてみよう。私たち日本人は、世界の中でも特異なほどに食生活の急転換を体験した。


地球規模の栄養課題は、栄養不足の問題が解決しないまま、栄養転換（「欧米型」と言われるような、高脂肪、高糖質、食物繊維に乏しい食事の摂取機会が増え、同時に身体活動の機会減少も伴い、集団の体格組成が変化する現象）が起こり、栄養の二重負荷への対応を迫られている。日本は過去にこの変遷を経験しており、公衆栄養活動がそれらの課題に対応してきた。（野村真利香ほか『保健医療科学　2017　VOL・66』（国立保健医療科学院）より）

第二次大戦後の日本で公衆栄養の向上に努めた地域活動を詳細にまとめたのが、このレポートだ。

これによると、1954年に東京に栄養指導車（通称・キッチンカー）が導入され、地域を巡回した。栄養指導車は後部に調理設備を設置した小型バスで、それに乗り込んだ栄養士が地域住民の前で調理デモンストレーションし、教育活動を行った。

この活動は大戦後の復興に力を尽くす市民から熱狂的な歓迎を受け、日本全国に活動が拡大されることとなった。アメリカから余剰農産物として持ち込まれた小麦の日本市場開拓費が活動の原資となったという。

このことの是非判断は簡単ではないが、少なくとも連合国軍、実質上アメリカ合衆国による日本に対する占領政策は「高度に文化人類学的に」行われた、と考えられる。友好的関係日本人の独特なメンタリティを理解／分析した上でその経済成長を促し、ここ日本でとてをフェアに見せながらも領主国に有利であるように作るという戦略は、も発展的な進捗を果たした。私たち日本人は甚大な被害を受けた敗戦後にもかかわらず、おしなべて速やかに栄養を回復し、バイタリティと経済を成長させることとなった。同時に、日本人は他のアジア諸国に先駆けて欧米的食生活を取り入れるようになった。

実際、日本人の公衆栄養（注）は短期間に他国に類を見ないほど向上したのだ。

注：公衆栄養は、地域や集団における人々の健康を食事、栄養面から支援する学問あるいは活動などのこと。

1950年から2000年までに男女とも6～7％も身長が伸びている。体重はそれ以上だ。日本人男性の体重は同期間に25％増えた。

短期間に目覚ましく体格が良くなった。そしてもともと長かった寿命もさらに伸びた。ただ、これらが良いことずくめだったわけではないことを、現代の日本人である私たちはリアルタイムで経験していることではないだろうか。

序章でも触れたとおり、1960年から2013年のおよそ半世紀という短期間で日本人の食肉摂取量は10倍に増えた。それにともなって、一人あたり医療保険支払額は4，400円から314，700円になった。この期間の貨幣価値変化以上の伸び率であると言えると思う。

栄養転換という世界共通のコンセプトがある。人間が経験した「食べる行為に伴う現象」をステージ化したものだ。

○ステージ1　人口転換　多産多死から少産少死、高寿命化

○ステージ2　疫学転換　低栄養、飢饉、不衛生から産業化由来の感染的疾患へ

◦ ステージ3　栄養転換　変性疾患、栄養過多、生活習慣など複合要因による疾患の増加

これらが全人類が経てきた、そしてキッチンカーや戦後の経済的な成長を経て、私たちがまさに現在経験している栄養転換の遷移である。あまりにもシンプルに見えるかも知れない。だが、確かにこの3つで私たち人間が経てきた都市化／産業化に伴う食文化ステージの変遷が表現されているのではないかと思う。

――そして、来たるべき「ステージ4」については未だに定義が定まっていない！

世界的に共通した認識、考えかたは構築されていないのだ。

人間は、栄養満点な食事を地球上のかなり広い地域に普及させることには成功した。だが、この栄養の過多と偏りを是正することについて人類全体にとっての方向性や共通の方針を作るのが難しい。ここからはさすがのマクドナルドでも最適解とはなりにくいのだ。

食べることに関して、世界各国で複雑に入り組んだステークホルダーが存在している。その状況で、次のステージをどう見出していくことができるのか、統一的な見解を得る

に至っていない。いや、統一的な見解を目指すことが非現実的なのだろう。「ステージ4」が、明確にどのようなものかはわからない。だが、世界共通やグローバル、ではない考えかた、つまり当地当地の各人でそれぞれのバランスで見解を作り、それぞれのバランスで食文化を育むのが「ステージ4」になり得ると感じている。(これについて、詳しくは第4章で触れる。)

そんななか、現時点——ステージ3の終わりに——最もバランスを欠いているのが「肉」業界だ。

本章の内容が舌鋒鈍く感じられたら申し訳ない。だが、どんな業界にもポジショントークはあるし、すべての論にはそれぞれ一理ある。陳情者の立場を代弁する政治家だけに批判を向けるのは公平ではない、とも思っている。そもそも扇情的なエピソードを並べて批判することは本書の望む役割ではない。検索すればいくらでも驚くべき言説を読むことはできるだろう。その際にはくれぐれもフードファディズム(視野の狭い狂信的な思い込み(本章末尾のコラム参照))に影響されないようにご注意いただきたい。

だが、「バランスを欠いた肉」「高級な肉」についてはひとつだけ、2022年時点で私たちの記憶にも新鮮な事例をご紹介しよう。

2020年に「和牛商品券」という驚きの経済対策案が自民党農林部会から立案され、国民の大多数が驚愕したこと（表現を変えれば、開いた口が塞がらない感情を持ったこと）を記憶されている方は多いだろう。

「和牛商品券」は、一般的な市民にとって決して日常不可欠とは言い難い贅沢品をピンポイントで配布する、要するに税金で代理購入して配布するというものだった。税金の使い道としての疑問や、和牛の必要性など多くの観点で世論の反発は大きく、結局実施に至ることはなかった。

このような奇策が出てくることには背景がある。

和牛商品券が廃案となっても、和牛業界には別の形で大きな支援が実行された。

2020年初頭から、新型コロナウイルスによる感染症が拡大した。全世界規模での緊急事態のさなか、安倍晋三首相（当時）はスピード感を持った対応を行うことのできるリーダーシップをアピールすべく「前例にとらわれず、一気呵成に思い切った措置を講じる」旨を繰り返した。

この、スピーディーで大胆な措置を遂行するということはどういうことか。

それは換言すると族議員に権限を与える集権的意思決定だ。

族議員とは、特定の産業分野、政策分野に精通し、当該省庁に強い影響力を持ち業界利益誘導に絶大な力を持つ政治家のことを指す。当該省庁で長年官僚を務めた後に政治家となる事例も多い。当然のことながらよって立つ業界に関する見識も豊富だ。エキスパート、スペシャリストと呼ばれる人物も少なくない。

もちろん、高い見識を持つ専門家が迅速に実効性の高い具体策を提出することは決して悪いことではないだろう。だが、この「前例にとらわれず、一気呵成に思い切った措置を講じる」方針のもと、少々調子に乗ってしまったのか、「和牛商品券」というまさに前例にとらわれない奇抜な経済振興策のひとつが提出された。

自民党の野村哲郎農林部会長は「インバウンドがこない。海外から4カ月から5カ月こない。このままいくと、冷蔵庫に入らないという声が全国各地からきている。場合によっては、畜産農家の出荷を止めなければいけない。出荷を止めると牛は死んでしまう。と畜のタイミングに合わせて飼料給与している。農家に大きな影響がないよう、早めに肉を流通させて農家の出荷を止めなくて済むような対策を講じる

べきというのが農林部会の議論の結果」と説明した。（『食肉通信』２０２０年3月27日より）

報道を目にしたとき、さすがに「一般的な市民が日常的に購入し食べているものではない和牛のみを対象にした商品券を配るというのはかなり感情的な反発につながるのではないか」と思った。

なにしろ、ＴＰＰなどの牛肉輸入自由化に向けて内外価格差を「是正」すべく差額の補償をおこなう肉用子牛生産者補給金制度や、この制度によって子牛価格が上昇して子牛農家に保証基準価格以上の利益が生じていること、枝肉価格が十分に上昇しないときのための肉牛の肥育農家に対する補てんが行われるマルキンと呼ばれる経営保証まで、既に相当な補助事業がなされていることを知っている市民は少なくないのである。

「和牛商品券は必要ない」という声が上がることも前もってシュミレーションされるべきだったように思う。おそらく、一般市民ではなく、業界のみを見て物事を進めていればよいというような、なんらかの慢心があった。

効率的な政策立案を促す「前例にとらわれず、一気呵成に思い切った措置を講じる」

という方針が業界だけを配慮したスタンドプレーとなり、余計な混乱を招く事態であった。迅速な対策（結果的には迅速は拙速であったわけだが）は、感染症拡大という「緊急事態」によって構造のほころびがあらわになった、ということでもあったのかもしれない。

本書は日本の畜産農家とその代弁をおこなう族議員を糾弾したいのではない。いびつな高級肉の格付けとそれを維持している産業の構造に時代感覚とバランスが欠けているのではないかと思っているのだ。

そして、それには私たち消費者も関係者として一役買っている。最終的に、ふだんの低価格肉との対比で、ハレのごちそう高級品を喜んで買い続けてきたのは私たちなのだから。

私たちも和牛を礼賛してきたのだ。だがそれでも、消費者にとって、詳しい背景にたどり着くのが簡単ではない不透明が存在していたことは指摘しておきたい。

そもそもこの和牛という肉で「最上級」とされる「A5」それ自体が、国内の牛肉産業における理不尽の象徴であると思えるのだ。

「A5」とはA（歩留まり率）、と5（サシ（脂肪）の入り具合や肉質の格付け）の記号である。

歩留まり率とは、殺された牛一頭から骨と皮と内臓を除いて食肉がどれだけ得られるのかを示す。

格付けは脂肪の入り具合やその脂肪の色などを目で見て判定される。つまり、これらは決して「美味しさの基準」ではないのである。肉がたくさんとれるふくよかで、かつよく太った、サシ（脂肪＝霜降り）が豊富である牛であったという情報を示すものなのだ。赤身の多い外国産牛肉に対して差別化するための指標なのだろう。国内畜産業界として推奨される肉の作り方の理想が「A5」とされるようになったのだ。

そして、「最高等級」なのだから売れる単価を一番高く設定する。なにしろ売上は「単価×重量」だから、そういうわけで、ビジネスとしてとにかく「A5」が目指された。

和牛肥育をおおまかに説明するとこうだ。もともと農耕用として日本で飼育されていた牛は大型種ではなかったが、明治時代から日本でも牛肉食が普及し始める。「文明開化の味」だ。

この牛肉食を普及させるべく海外の大型種との交配を積極的に進め生産量の増大を推奨した。速く、大きく、肥えさせて育てる。という方針で事業がずっと進められたわけだ。

そのため、過多な飼料を食べさせるためにマッサージをしたりビールを飲ませたりして早く大型化させる。骨も細いほうが歩留まりがあがる。骨格づくりをせず大型化させるということは運動をさせないということだ。健康的ではない牛を育て、経済的メリットを優先するのが「A5」であり、これが日本の誇る高級肉なのだ。

私たち消費者にとってあまり嬉しい話ではないのではないだろうか。

ご馳走と思っていた「A5」は生産者側の事情でしかなかった。ご馳走だと思っていたものは抗生物質とストレスにさらされた牛の死体だったわけだ。ただ、このような構造になっている産業を「インバウンド」がこない。このままいくと、畜産農家の出荷を止めなければいけない早めに肉を流通させて農家の出荷を止めなくて済むような対策を講じる」という理屈で、学校給食での導入を促進したり、一頭あたりの追加補助金が確保され続けている。

そして、肉食を推進するそのいっぽうで世界有数の医療保険を準備する。「タコが自分の足を食う」最高の事例ではないだろうか。

パワープレイの本場、アメリカではどのような状況だろう。

当地でも業界を挙げて集権的な策を採ることは多い。

そのひとつにチェック・オフ制度がある。

牛肉の生産者は牛が販売される度に一頭あたり1ドルを徴収され、そのお金は全国ビーフボードおよび各州の牛肉協議会に集約される。そして、その資金は米国農務省による監査承認の上で拡販キャンペーンや研究開発（畜産業に否定的な報道などに対案を提示したりする）、輸出拡大へ向けたリサーチおよびプロモーションなどに使われる。毎年数十億円にのぼる大きな資金がこれら業界振興のために費やされ効果を上げている。農務省（つまり政府）によってお墨付きを得てプロモーションを行なっている点で、影響力があるとされている。

アメリカにはビジネスの成功者を「アメリカ」という国のヒーローと目する文化がある。だから、業界が自らの資金で振興を図るとき、資金が税金ではなくともそこに政府の後ろ盾がつくことに対しても肯定的に見られることがある。

それでも、このような集権的システムは大手が集中的に利益を得ることに利する側面もあるし、業界として強い「圧力」を持たせる資金源となる。それによって、例えば、ジャーナリストが食肉加工現場に潜入取材することを違法とする法律が策定されたりもするのだ。

アメリカきっての人気司会者オプラ・ウィンフリーが、自身の番組『オプラ・ウィンフリー・ショー』で、食肉業界の大物であった経歴を持ちつつも、一転して畜産業への批判的ジャーナリストとなったハワード・ライマンとともにBSE（牛海綿状脳症）について発言した際、食品誹謗中傷をおこなったとしてテキサス州裁判所に告訴された。ウィンフリーとライマンは結果的には勝訴したが、その裁判費用は日本円にして1億円を超えた。そして驚くべきことに、食肉業界側はこの敗訴を「良い前例」としているのだという。ここまで裁判費用を準備しないと勝てないという実例を作ったからだというのだ！

何かを行う（しでかす?）とき、「アメリカ」にはさすがの腕力があるのだと思わされる。

肉についてのアンバランスは他にもある。

犬は嫌。鯨はダメ、というタブー

「経済的な食材は肉」と言えば驚かれるだろうか。

疫病を除けば気候変動の影響を受けにくく、冷凍による保存と遠隔流通が容易になっている肉は外食産業では極めて経済的な食材なのだ。半調理済みの状態でお店まで流通されるケースも多く、調理の簡便化と人員削減にも役に立つ。

野菜の仕込み工数と品質管理には、実は大きな時間と労力を伴う。結果、飲食店においては生鮮野菜料理はコストメーカーなのだ。（ＩＱＦ冷凍技術の進歩により、生鮮野菜の冷凍保存とロスレス化は進んでいる。このような流通技術の発展については4章でも触れる。）

「いやいや。牛や豚から可食部を切り取るのは大変な仕事でしょうよ」と思う方もいるだろう。その通り大変な重労働だ。

だが、あなたはその仕事をご存知ない。

あなたには見えていない肉がたくさんあるのだ。

東京都の公営食肉市場・芝浦と場（屠場）のウェブサイトには、根深く残る偏見に対する中央卸売市場からのメッセージが掲載されている。当然だが、lg.jpドメインで運営されている公共アカウントだ。感情を抑えた冷静な筆致で記載されているが、中央卸売市場はこのような公共性の高いドメインで明確に差別と偏見の不当さを啓発している。

食肉市場・芝浦と場に対する差別文書について

先日、食肉市場・芝浦と場で働く職員や従業員の方々を差別し、食肉処理の業務を軽視、中傷する手紙が配達され、その後続いて同様の内容の文書が発見されました。

これまでも食肉市場・芝浦と場を差別する葉書が配達されたり、食肉市場・芝浦と場の移転の要求や爆弾を仕掛けたという電話による脅迫がなされたり、インターネットの掲示板にと場を差別する内容の書込みがなされるなど、差別の事象が後を絶たず、多様な形で表れてきています。

私たち食肉市場関係者は、都民の豊かな食生活を支えるため、安全で新鮮な食肉を供給するために日々努力を重ねてきております。とりわけBSE対策に関しては、食肉市場あげて心血を注いで取り組んでいるにもかかわらず、そのことを揶揄するような言動は決して許すことはできません。

職員の皆さんにおかれては、食肉市場・芝浦と場に対する差別の現状を再度認識し、差別解消に向けた中央卸売市場の取組にご理解とご協力をお願いします。（食肉市場に送られてきた差別文書に対する食肉市場場長の見解を、職員あてに通知した文書、東京都中央卸売り市場サイトより。）（https://www.shijou.metro.tokyo.lg.jp/syokuniku/rekisi-keihatu/rekisi-keihatu-02-01/）

活魚をさばく様子は、テレビでもインターネットでも、街なかの鮮魚店でも、日常的に見ることが出来るだろう。

しかし、屠殺工程を見たことのある方は圧倒的に少ないのではないか。

牛や豚、鶏を殺し、食肉にまで加工する工程をテレビ放送してはならないとするガイドラインは特に存在しない。だが、クレームリスクが高く、放送される機会は極めて少ない。

一度も見ることなく一生を過ごす人びとのほうが多いのだ。

触れてはいけないのか、あえて触れないようにしているのか、触れないほうが良いのだろうか、毎日食べている肉なのに。

内澤旬子さんに『世界屠畜紀行（2007年解放出版社）』という怪著がある。

内澤さんは、モンゴルを旅した際に、もてなしのために目の前で屠られた羊の姿に感動した。そして「そういえば、いつも肉を食べているのに、肉になるまでのプロセスのことをまるで考えたことがなかった」と感じた。それから、国内外のと畜風景を自費で取材し、イラストとともに紀行として一冊にまとめた。力作である。

だが、この書物を出版した会社が株式会社解放出版社であることが象徴的なのである。

本作は雑誌『部落解放』2002年～2005年に連載された「世界屠畜考」に加筆して書籍化したものなのだ。

日本だけでなく、韓国、インドネシア・バリ、エジプト、イラン、チェコ、モンゴル、インド、アメリカでと畜場を取材し、従事者へのインタビューがふんだんに盛り込まれている。各地の事情は様々だ。内澤さんがこの一冊を完成させた後に振り返りとして書いている「あとがき」がすがすがしい。

「あなたと同じ感覚を持った日本人は、そうね、20人に1人くらいじゃないかしら」

この取材をはじめた頃、翻訳家の高橋茅香子さんに嬉々として屠畜について話したら、こう言われた。彼女自身は屠畜という仕事に興味はあるが、血が怖くて現場を見るのはむずかしいと言う。そういう人は多いだろう。しかし、私と同じ感覚の人間だって、少なからずいるはずだと思っていた。これだけ肉を食べる生活が当たり前になって長いのだから。

ところが、長年新聞社に勤務していた彼女の目測はきわめて正確で、取材を通してたくさんの人と話していくうちに、自分の感覚のほうがとてつもない少数派であることにだんだんと気付かされ、愕然とする。この仕事を怖がる人は、私が思ったよりも確実に多かった。私と同じように部落差別について何も聞かされずに育ち、いまだに知る機会も興味も持たずとも、動物をつぶす、殺す現場に対して忌避感を強く持つ人は多い。自分の感覚がずれていて、動物を殺すことをとにかくかわいそうと思うほうが、今の社会では「自然」なのだろうか。

悩んだ末に動物愛護の観点に立った小説作品などをたくさん読んでみた。野生動物に人間よりもシンパシーを求めたり、動物を擬人化して、屠畜を悪行のように描く小説は、日本だけでなく西洋にも数多く存在する。読めば確実に影響される。「やっぱり動物が人間のために殺されるのはかわいそうだ」と思えてくる。

屠畜の現場から離れて暮らし、こういう気持ちをどんどん育てていけば、現場で働く人を突き刺すようなことばなど簡単に出てくるようになる。なにしろ我々のふだんの生活では現場の人たちよりも動物に感情移入する表現物にあふれているのだから。

現場の人よりも殺される動物に感情移入することが、差別に直結するとは思わない。それでも、同じ表現や言い回しを、確固とした肉食文化を築いてきた欧米の労働者に投げかければ、「なんとも思わない」という答えが返ってくるにもかかわらず、日本の労働者にはこれらのことばが今もなお鋭く突き刺さってしまうという事実は真摯に受け止め、なぜなのかを考え続けなければならないと思う。

本書では、日本はもとより芝浦の屠畜場で働く人々が具体的にどのような差別を受けてきたかの記述は最小限にとどめている。差別を受けた側の立場に成り代わって被差別の歴史をくわしく書くよりも、まず屠畜という仕事のおもしろさをイラスト入りで視覚に訴えるように伝えることで、多くの人が持つ忌避感を少しでも軽減したかった。

僭越ながらそれができる人間は日本にそう多くはいまい。イラストが描けるとか、長期取材や海外取材ができる（どっちも私よりも上手な人はたくさんいます）とか、そういうことではない。屠畜という営みを心から、たぶん当事者以外ではだれよりも愛しているからだ。差別があろうがなかろうが、日本だろうが海外だろうが、屠畜の現場に出くわせば、スケッチブックとカメラを取り出して（日本ではスケッチブックだけだけど）いそいそと記録するくらい、好きなのだ。いくら本を読んで

「かわいそうかも」と思ったところで、現場に立てばそんな気持ちは一瞬でふっ飛んで作業に見入ってしまうくらい好きなのだ。

この本を手に取った方に、そんな気持ちが少しでも伝われば嬉しい。いい仕事だなと、感じてくださったら、さらに嬉しい。たとえ、20人に1人でも、100人に1人でも、そういう読者がいることを信じて。（『世界屠畜紀行』解放出版社（2007年）より）

私の息子（現在中学生である）は部落差別という言葉を知らない。補助金制度や集権的システムだけではない。私たちは「肉」という食べものの背景にどのような「アンフェア」や「モンスター」、あるいは内澤さんの描き出したようなリアルな労働のありかたが存在するのか知らずに、毎日、いたるところで、安く、「経済的」に、肉を買って食べている。知らされずに食べさせられている。

右記の書籍「世界屠畜紀行」の中、一章まるごとを使って書かれているのが韓国の犬食文化だ。韓国では欧米の動物愛護団体からの抗議を受け、1988年のソウル五輪を境に犬食文化は表面には出てこないものになっている。

私はポシンタンと呼ばれる犬肉を香辛料とともに煮込んだ鍋を、ソウル郊外で食べたことがある。もう25年以上も前のことだ。個人的な味の好みの問題でそれ以来食する機会はないが、ただ、私としては犬を食べる文化／民族がいることに対してなんら不自然を感じることはない。

これは毎日牛や豚や鶏の肉を食べるみなさまにとっては嫌悪感を持たれる意見だろうか。

「犬を食べる」のは糾弾されるべき悪なのだろうか。

マーヴィン・ハリスによる『食と文化の謎』（岩波現代文庫、2001年）には、最善化採餌理論に基づいて「ヒトはコストとベネフィットの比較によって食文化を築く」との考えが描かれている。この「最善化採餌理論」は、かいつまんで言うと何をもって経済的とするか、ということを突き詰める考え方だ。

ヒンドゥー教徒が牛を神聖な動物として食用としないこと、イスラムやユダヤ教徒の豚肉食忌避など、タブーのある伝統文化は少なくない。
インドの湿潤な大地における農耕のパートナーとして、牛は食べるよりも生きる限り働いてもらうほうが経済的であったし、日照が強く高温な中東の地においては、豚は飼育にコストがかかる上に豚の食べる穀物が人間と重複する。それなら牛やヤギなどの、人間では消化できない草を食んでくれる動物とともに生きた方が経済的であった、というのが「最善化採餌理論」である。

科学的に言えば、人間は雑食動物——動物性食物も、植物性食物も、どちらも食べる生き物——である。豚、ネズミ、ゴキブリなど、ほかの雑食動物とおなじように、人間は実に広い範囲の種類の物質を食べて、必要な栄養をとることができる。腐った乳腺分泌物から、菌類、鉱物にいたるまで（つまり、チーズ、キノコ、塩）、なんでも食べ、摂取してしまう。しかし、ほかの雑食動物と同様、われわれは、文字どおりなんでもかでも食べているわけではない。世界中の、食べようと思えば食べられるものすべてを思い浮かべてみればわかるように、実際にはどの社会でも、たいてい食事メニューの幅はきわめて狭い。

生物学的に人類にとって食用に適さないという理由で、ある種のものはパスされる。たとえば、人間の消化器官は大量の食物繊維を消化できない、という単純な理由で。だから、どの社会でも、草の葉、木の葉、木質は（ヤシの芯の髄や若芽、たけのこは別として）食べない。石油は車に入れ、我々の胃袋に入れないのはなぜかとか、人間の排泄物は下水に流し、われわれの皿の上にのせないのはどうしてなのかといったことも生物学的理由で説明できる。だが、人間が食べものとしないものの多くは生物学的観点からみれば完全に食用可能なものばかりだ。ある社会では食べものとされず忌み嫌われているものが世界のどこかでは食べられときには美味とすらされることを考えれば、そのことは十分に明らかだろう。（マーヴィン・ハリス著『食と文化の謎』岩波現代文庫（２００１）より。）

自らの生存戦略として特定の動物をタブーとしたという考えには一理あると感じる。前述の韓国にある（中国やインドネシア、他の少なくない国にも存在する）犬食や、私たち日本人の鯨食も極めてヒステリックに欧米人から避難される食文化であるが、これらは経済学的には説明できないような気がする。いったい誰による采配なんだろうか？考えてみたい。

犬や猫に代表される、ともに暮らす動物を「ペット」ではなく「コンパニオン・アニマル」と呼ぶ傾向がある。賛成だ。

本書でも言及したように、高度な社会脳をもって言語コミュニケーションをともにしているのが人間であるのだが、否、だからかもしれない、対人関係に息苦しさを感じることも少なくなくなっている。意見を話して、それに対する反応を受ける。意味を持つ言葉の交換が前提になっていると疲れることもあるだろう。

これを助けてくれているのが犬や猫など、コンパニオン・アニマルだとしたら？相手が人間では話せない幼児言葉を使ったり、打ち明け話をしたりできるかもしれない。いわば不完全なコミュニケーションが精神安定をもたらしているという。この文脈でいえば、確かに彼らはペットではない。仲間（家族）と呼べる存在である。

そんな仲間を食べるなんて「もってのほか！」になるだろう。

この文脈に心から賛成しながらも、私は犬食について「OKかNG」という二者択一には与しない考えを持っている。

先に引用したマーヴィン・ハリスの経済コンセプトで言えば、牛や豚や鶏や羊では充分な栄養が得られない土地があるとすると、それ以外の人々にとっては犬が日常的に得られる肉であったかもしれないわけである。馬を食べる、ヤギを食べる、虫を食べる、など、当地当地で経済的な食べものがあり、それを形而上学的に批判することに対しては反論しても良いのではないだろうか。

仮に欧米人の方が先に「コンパニオン・アニマル」というコンセプトを得たからといって、その価値観を押し付けられるものではないのではないか。

食はエンタテインメント。間違いない

「形而上学的なもの」に対する疑問がもう少しある。

21世紀現在の最新フードテック事業として「完全栄養食」というものがある。

1食で一日の3分の1に足る栄養を満遍なく得られるものである。

とても美しいコンセプトだ。

だが、もしもこの「完全栄養食」というコンセプトが食事のメインストリーム（主流）になってしまったら、どうだろう。

パリジェンヌのジュリエット・ペリエ（仮名）が、朝食をクロワッサンとカフェオレで済ませたら不完全なのか？

東京の山本武志（仮名）が、納豆ご飯だけ掻き込んで出勤したら不完全なのか？

そんなわけないだろう。人間の食べ方には「ムラ」があって良い。

チームワークで狩猟に取り組んだ太古の記憶を呼び覚ますような豪快な薪焼きグリル（アメリカ・テキサス）がある。ビールを飲ませ、職人がマッサージをほどこし、溶けるような味わいになったすき焼き（日本・神戸）がある。

肉のイノシン酸、マッシュルームに由来するグアニル酸、チーズからのグルタミン酸と、人間の味蕾全部に媚びかかってくるかのようなチーズステーキサンド（アメリカ・フィラデルフィア）がある。夜明け前から豚の骨付きリブを胡椒と漢方薬で煮込んだバクテーが食べられる（シンガポール）。トゥール・ダルジャンでは提供される鴨に通し番号をつけて供される（パリと東京）。

ご馳走であれ、普段のそっけない食事であれ、それぞれ1食が完全栄養食であったことなどはないだろう。

ある日、ジュリエット・ペリエ（仮名）が、朝食にクロワッサンとカフェオレ、昼食にクロックマダム（ホワイトソースを塗ったトーストにハムと目玉焼きが挟まれたもの）とサラダ、夕食に鶏肉とスープをワインとともにとった。

その日、山本武志（仮名）は、朝食を納豆ご飯で済ませ、昼食にはコンビニでサンドイッチとサラダを買って食べた。夕食は自宅近所の焼き鳥屋でビールとともに焼鳥と豆腐やおひたしを楽しんだ。

これの何が悪い。一日、ないし二日かけて栄養バランスをとっても良いのではないか。1食単位では栄養にムラがあっても良いではないか。いや、ムラがあった方が良いと思うのだ。

食事が生命を維持するための事業ではなくなっている地域が地球上に拡大している。

一部の専門的な美食家でなくとも、盛大な宴席でなくとも、ビール片手に YouTube

を眺めながらひとりで摂る夕食であっても、日々の食事が楽しみとともにあることはとても大事なことだ。

ただ、このエンタテインメントは、自然に、あるいは恒久的に、自動的に、普遍的に、私たち全てに確約されているものではない。

この毎日の食べものがどこから来ているのか、誰がこの食卓まで運んできてくれているのか、そこにも考えを及ぼすべきときが来ている。

栄養転換の次に来るステージをともに作るべきときが来ている。

次章ではそれを考える。

さぁ、一緒に歩を進めようではないか！

COLUMN | フード・ファディズム

アメリカ、カナダ、ヨーロッパ諸国で宗教転換ともいうべき状況が進んでいます。

アメリカ合衆国でキリスト教信者を自認する成人は2009年の77％から2019年には65％に急減しました。ヨーロッパでも聖職者による性的虐待問題が露見するという事件の影響もあるのでしょうか、教会から離れる人が増えていて、20代～30代を中心に無宗教者が拡大しているようです。男女の役割を固定化しがちな教会的価値観に対する興ざめも影響しているのかもしれません。

そして、コロナ禍で教会に毎週詣でてミサに参加するというコミュニティイベントの実施が困難になり、帰属意識が薄れてしまったという追い打ちのような背景もあるでしょう。

この、従来型コミュニティの希薄化にSNSの台頭が拍車をかけたというわけです。

このような現状でもイスラム教が信徒を増やしていることは興味深いです。

ともあれ、キリスト教から気持ちが離れたとしても、他に心の拠り所を求める人は少なくありませんし、インターネットには分かりやすく「これが答えだ！」と断言する派手な言説が数多くはびこっています。

なかでも、誰もが毎日二度三度と食べ、スーパーや商店での買い物という日々の「選択」をおこなっている食事に関しては、救いを述べる極論との相性が良すぎて危うさを感じることがあります。

「ファディズム」とは、流行りものへの盲信を意味します。フード・ファディズムは、偏った食べもの情報への盲信のことです。

日本でもテレビの情報バラエティ番組で紹介された「健康に良い食べもの」が翌日からスーパーで品切れ続出となり、メーカーが急いで増産をおこなったところ、今度はほんの数ヶ月で流行は収束して在庫の山になってしまう。そんな現象が少なからず起こりました（いまも起こっています）が、この流行り廃りの深刻度を増したものがフード・ファディズムです。

特定の食べ物あるいは食べかたのことを極端に過大評価し、過大な付加価値を付けて販売するような、ある種のスーパーフード（ちなみに、スーパーフードとは公的食品機関による定義がなされていない「マーケッティング用語」でしかありません）や、健康食などで行なわれる販売手法については誰しも幾度となく目にされたことがあるかと思います。それくらいはまだ可愛いもので、アンバサダーという名の教皇を祭り上げ、他の選択肢を排斥するネズミ講のような事業者さえアメリカには存在します（もしかすると日本にも存在するのかも知れません）。

複雑な気持ちになるのは、これらの事業者の多くが「コミュニティ」を標榜していることです。

お金をメディア（媒介）として人と人とのつながりを構築し、メンバーにコミュニティの外を敵対視させるような手法を取る会社があるのですが、メンバーにとっては「かけがえのない仲間」に囲まれた理想的なコミュニティと認識されていることもある。「だったら、その人たちにとってはそれで良いじゃないか」という気持ちにもなってしまいます。

以前、『ULTRA LUNCH』を飲食店舗として運営していた時、常連としてよくお見えになったご夫妻がおられました。ご夫妻ともに精神科医だったのですが、ワインを飲みながら夕食を楽しまれている時にお話しくださったこんなエピソードがあります。

「本当の自立は、多方面にちょっとずつ依存すること」というものです。

例えば、生活の収入源としての仕事だけでなく人格形成までひとつの会社に依存してしまうと「社畜」と言われるような付き合い方になってしまうかも知れません。生活基盤を両親に全て頼ってしまうと「引きこもり」という生き方になってしまうかも知れません。それの何が悪い、と言われてしまうと、正直、私も答えに窮してしまうのですが、少なくとも自立はできていない状態なのかなとは思います。

自立が成立していない環境では視野を広く持つことが難しくなってしまいます。

ポリシーを持つということと、可能性を狭めること、は別の話だと思うのです。

COLUMN ｜ フード・ファディズム

例えノンポリであったとしても良いじゃないですか。

風通しの良い、いろんな考えかたや風景に触れ、時にはそれらに影響を受けながらも押し流されすぎず、「まだ、他にも違う考え方もあるかも知れない」という意識をいつも持ち続けることが大事なのではないかと思っています。

4章●美味しく楽しい問題解決

浮世絵に見える風景とは

現代の畜産業は、国内外でこれからも議論され続けるだろう。そして、今のままの畜産業では立ち行かなくなるだろう。

だが、私たちの先輩ホモ・ハビリスが「意図的で計画的な」肉食を始めてからの250万年に渡る旅の歴史を考えてみれば、こんなものは試行錯誤のごくごく短い一場面に過ぎないのではないか。人間のクリエイティビティを甘く見てはいけないと思う。これまで幾度も困難をなんとか打開し続けてきた。完璧解に達したことはなかったが、そこはDONE IS BETTER THAN PERFECT（完璧を目指すあまり結局着手しないより、まずは達成）である。

これからも修正を重ねながら私たちは発展を目指して歩むのである。

最終章では、整理すべき課題や、いま現時点で国内外で行われている食品産業のチャレンジを紹介しながら『ULTRA LUNCH』なりに目指す近未来絵図を描いてみたい。

南北の両極地帯から熱帯のジャングルにいたるまで、あまねく地球を制してきた人間だが、完璧な生き物であったことはなかった。

果たしてこれから私たちが完璧になることができるのか、それは私には分からない。

前章で触れた「栄養転換」でさえ、次のステージを定義するに至っていないのだ。私たちには「完璧」の意味を定義することさえも簡単ではないのだろう。

しかし、それでも地球での生きかたをより良くしていくことができるのは人間だけなのだ。

本書の人間讃歌はまだまだ続く。

江戸時代の日本をユートピア視するかのような言説が流行したことがあった。

いまも根強い人気を持つ視点なのかも知れない。

曰く、「260年にも渡る不戦時代」「上下水道を完備した都市文明」「識字率の高さ

（教養を持つ高度な文化）」そして「エコロジカルなリサイクル社会」などなど、江戸当時の社会を称揚する書籍や講演が人気を博した。

異論を差し挟むことを一義にするわけではないが、「不戦」は士農工商なる身分制度を固着化させたことによる「圧政」の言い換えとなり得るし、エコロジカルだったという部分には大いに疑問を持つ。自然を人間文化のために過剰に収奪した時代でもあったようにも思われるのだ。

もちろん江戸時代の豊かな文化を否定したいのではない。私は江戸時代の、とりわけ上方文化を愛する者だ。

ただ、古代から現代に至るまで「完璧」や「ユートピア」と称することのできる時代や土地などなかったはずだ。そして、仮に、もしも江戸時代がユートピアであったとしてもそこに戻ることはできないし、私たちはそこに戻ってはいけないのだ。

例えば、ジンとベルモットをステア（氷とスプーンで静かに攪拌、配合）してグラスに注ぎ、オリーブを添えマティーニを完成させたなら二度とジンとベルモットには戻らないのだ。そして、ジンとベルモットをそれぞれ別々に飲むよりも、然るべきレシピと手順で調合されたマティーニの方が美味しいのである。

これまで発展途上とされてきた国の人々が発展と富を得て他国の文化を知るようになり、この地球の地平の広さを知り、その経験をもとに、自分の人生そして友人の生活をさらに豊かにしたいと考える。この気持ちは善であり、この気持ちを誰が阻めるというのか。文明は不可逆的に、そして、善へ向かって進んでいく。

太田猛彦さんによる『森林飽和　国土の変貌を考える』（ＮＨＫブックス、２０１２年）は新しい発見と驚きに満ちた近代史書だ。

この書は２０１１年の東北地方太平洋沖地震で生じた沿岸部の森林倒壊をきっかけに出版された。そんな経緯もあり、物語は高田松原に一本だけ残ったマツの木「奇跡の一本松」の描写から始まる。白砂青松と呼ばれる白い砂浜とマツ林の緑が織りなす美しい観光名所が日本全国に見られるが、その風景の歴史背景を解きほぐしながら、日本人が21世紀に「どう森と向き合うのか」を太田さんは説く。

海岸部に広がるマツ林は、３００年の昔から塩分を含む潮風を防ぐ防風林として、そして、飛砂を防ぐ「砂防林」として建造された人工林であった。

かつて飛砂は現在では想像できないほどの甚大な被害を沿岸地の民家にもたらしたという。山形県庄内地方ではその深刻さを「一夜にして家一軒を埋める」と語り継がれているほどだ。

しかし現在、飛砂の害は明らかに少なくなっている。その理由はマツなどの砂防林が機能していることもともあれ、さらに本質的には「海岸線の砂が減っている」ことなのだという。

これはどういうことなのだろうか？

実感したことはないかもしれないが、砂浜の砂は海から打ち上げられたものなのである。その砂の一部には海岸や海底の岩石が破砕され、細かい粒になったものも混じるが、大半は山地から流れ出した土砂が河川を流れるうちに細粒化され、海に流出したものである。つまり、海の砂の源は河川の上流の山地の土砂なのである。沿岸地域には沿岸流と呼ばれる潮の流れが存在し、海に流出した砂はその流れに乗って漂砂(ひょうさ)として移動し、各地の海岸に到達する。

高波によって浜辺に打ち上げられた砂は海からの強風に乗って飛砂として内陸に運ばれる。飛砂の大半は地表を這うように運ばれるので、海岸にとどまって砂丘を形成する。しかし、風が強く砂の量が多い場合は、人々が住む内陸深くまで到達し、いわゆる飛砂害を発生させる。かつて海岸地域の災害でもっとも深刻だったのが飛砂害であり、海岸林の大半はこれを防ぐために先人が苦労して造成したものである。

（太田猛彦『森林飽和　国土の変貌を考える』ＮＨＫブックス（２０１２年）より）

つまり、海岸から吹き上げる飛砂の由来は内陸山地から削られた土壌がその大半であったし、現代を生きる私たちが飛砂害にさほど悩まされずに済んでいる根本的な理由は山地の土砂が流されずに山にとどまっているからだ、とする。

であれば、実際に飛砂害が甚大な脅威だった時代はどういった状況、どういった風景になっていたのだろうか？

実は、その光景は有名な浮世絵に明確に記されている。

「禿山（はげやま）」だ。

地表に植生も土壌も存在せず、基盤岩が露出した山を禿山と定義される。

土も砂も雨と川に流されきった山だ。

歌川広重の浮世絵「東海道五十三次」は、文字どおり東海道の宿場当地の風景や習俗を色彩豊かに描いた連作である。

江戸時代の覇権を握った徳川家康は国土を統一的に管理すべく、江戸を中心に5つの街道を整備した。東海道、中山道、甲州街道、日光街道、奥州街道だ。

その中でも江戸と京都および関西を結ぶ主要ルートである東海道の宿場、宿駅を巡るという、言うなれば主要都市の生活に隣接する「里山」をツアーした記録とも言えるのが「東海道五十三次」だ。

そこに鬱蒼とした豊かな森は全く描かれていない。山腹にまばらに描かれるマツが目に付く程度なのである。砂浜のような塩分を含んだ砂地やほかの樹木が根を張れない荒れ地のような貧弱な土壌でもマツはなんとか育つ。

そう、広重が描写した江戸時代の街々を支える里山は尽く禿山だった！（ちなみに、写真でも禿山の記録は数多く残っている。）

これを経済とともに考えるとこういうことになる。

私たち日本人は国土の14％に過ぎない「平地」に国民の50％以上が居を構え、生きている。

私たちが住む国は、沖縄、九州、四国、本州、北海道のすべてが見事なほど山に占められている。

私たちの祖先は、基本的に、全国各地に点在する平地とその周辺の丘陵地でそれぞれの出生地を離れず暮らしていた。その後、15世紀の中ほど（つまり戦国時代）あたりから山を越えて広域移動し始めた。

この戦国時代あたりから江戸時代にあたる18世紀までに、なんと、日本の人口は300年で3倍に増えた。やはり人間は広域移動することで人口も増えるし社会脳つまり文化も深まるのだ。

そして、石油はおろか石炭も使われていなかったこの時代に、急激な人口増加をした人々の生活を支えたエネルギーインフラとは何だったのか。

そのとおり。「木」だ。建材としてはもちろんだが、用途はそれにとどまらない。

木材は「塩を作るに良い」（岩塩のない日本では海水を煮詰める必要がある）、「鉄を作るに良い」（炭にすれば超高温を得られる）、「陶器を作るに良い」（乾かした木材は火力が強く、窯の中で灰が出にくい）。

そして、もちろん「日常の煮炊き、道具の製造に欠かせない」。生活基盤全てを木でまかなうことができたのは、木の素晴らしさでもあるが、ともすれば、人々は木を使い過ぎた。

飛鳥・奈良時代から徐々に始まっていた森林バイオマス資源の収奪は全国に及び、里山の森林枯渇は江戸時代~明治時代にピークを迎えていったのである。

念のためお伝えしておきたいが、このことは江戸明治の日本人にモラルや考えが足りなかったから、なのではない。単純に人口が増えた。禿山は日本に限った現象ではなく、ヨーロッパでも起こったことなのだ。

保水力のない禿山に降った大雨は大規模水害に直結し、山地から流出した土砂は海岸線で飛砂となり沿岸部に甚大な被害を及ぼしていた。江戸時代後期には度重なる飢饉の影響で困窮者や餓死者が発生し、百姓一揆が多発した。

江戸時代に豊かな市民文化が育まれたとはいえ、やはり、ユートピアなどとは到底言い難い状況だったと考えた方が良いのではないだろうか。

水害が頻発する中、水田農作物を主な食料源として急増する人口に対応していた日本では、使える限りの平地を農耕地として活用せざるを得ない状況だった。

これは食文化にも直接的に影響する経済環境であったと考えられている。かつて、日本はアジアでも突出する「ベジタリアン国家」とも言える生活を行なっていたのだが、それは、幕府からのお触れ（生類憐れみの令など）や、仏教や神道によって推奨されていたという形而上学的理由よりも、資源不足という切迫した理由で、家畜を肥育させるよりも農地を優先的に確保することのほうが経済的であったのだ。

つまり、前章で紹介したインド（ヒンズー教徒）における牛肉食タブーと同じ文脈が日本でも展開されていたと考えて間違いない。

それが、いまや日本の山地は森林王国だ。

江戸明治から着手され始め、昭和、とりわけ第二次大戦後に本格的な植林および治山をはじめとする国土保全事業が行われてきた。それに加えて、農業の領域でも科学技術が発達し、生産性が向上した。さらに、燃料インフラを木材依存から脱却させることを可能にした「地下資源（つまり石炭、石油である）」も開発されるようになった。これによってたった数十年で日本は森林大国となるまで山地の緑化に成功したのだ。

なのだが、そこには副作用も生じていた。

拡大造林で大量に植えられた苗木が成長し始めたころから、建材用途である安価な外国産材の輸入が急増する。国内林業は儲からなくなり、同時に、石炭や石油の普及によって燃料インフラとしての森林は既に役目を果たし終えていた。

森林は放置されるにいたり、そして日本は400年ぶりともされる豊かな森を取り戻した。「量」的には。

だが、太田さんは大規模植林後に放置されるにいたった森林、そして現在の里山が「質」的にはむしろ荒廃していると述べている。

かつて大災害をもたらした飛砂なのだが、現代となっては海岸線の後退が問題視されるレベルにまで減少しているのだ。いまや、山地は土砂を抱えすぎているともいう。

「対症療法的」に治山事業を行ってきた副作用が生じている、と考えられている。石炭、石油の導入による「近代化」で産業構造の一大変革と木材需要の減少が起こり、禿山は「量」的にはなんとか緑化を取り戻した。

江戸時代以降、私たちは、ユートピアどころかサステナブルとも言えないようなギリギリのサバイバルを遂げてきたのである。江戸時代には、「木」をエネルギーインフラをはじめとした様々な用途に使いすぎた。禿山から流れた飛砂を防ぐために砂防林でしのいだ。こんにち、山は豊かな森林で覆われるようになったいっぽう、「木」以外のエネルギーインフラに経済はシフトし、今度は山がみどりに溢れすぎて土砂が山側に集中している。

『森林飽和』の中で太田猛彦さんは、今後の治山事業の一案として「計画的に発生させる土砂崩れ」という驚くべき事業案までも提案している。

そして、これまでの発想、これまでの業界構造、これまでの行政コネクションモデルと連続性のある形ではなく、新しい事業モデルが必要だと説いている。

人間の可能性にBETする

「ハーバー・ボッシュ法」をご存知だろうか。

農業に必要とされる肥料には、現代的な化学肥料だけでなく伝統的な堆肥であっても、その成分にはカリウム、リン、窒素の三要素が不可欠とされる。このうち、かつては窒素の大量生産が困難とされ、長年の間動物のし尿などの窒素化合物アンモニアを自然分解させた肥料が使用されていたのだが、こうした肥料は寄生虫の発生という危険もはらんでいた。そして、そもそも大規模農場を安定経営ができるくらいの肥料を大量生産することはとても難しいことだった。

それを20世紀初頭のドイツにおいて、フリッツ・ハーバーとカール・ボッシュによる研究が解決する。窒素化合物の化学的合成を実現させたのだ。この二人の名前をもって命名されたプロセスの名前が、ハーバー・ボッシュ法だ。ちなみに、ハーバー研究所にてアンモニア合成の精度を高めた研究者のうちのひとりに、田丸節郎という日本人もいた。

ハーバー・ボッシュ法をもととするアンモニアなどの窒素化合物の化学的大量生産は、世界的な人口増加に対し、肥料の製造という観点で大きな貢献を果たした。なお、本書の主題から話が逸れるが、アンモニア合成は肥料の量産化とともに毒ガス兵器や爆薬の開発でもその一翼を担っている。やはり化学は刀であり、どう使うのかは人間次第なのだ。

ともあれ、19世紀末に生きた科学者たちの観点では「地球がまかなえる世界人口は十数億人」と目されていた。それが、現在の地球人口たるや79億人だ。

伝統農法だけでは地球人口を賄えていなかったのだ。人間による研究、発見がなければ、私たちは、地球で生活できる人口数をすでに遥かに越えたところに存在していて、生きながらえられなかったかもしれないのだ!

今世紀半ばには世界人口が100億人を越えるとする予測もある。アジア、南米、アフリカなどで、これまで「発展途上」国とされていた国々が急速に新興「先進」国へ成長を遂げようとしている。それに伴って、これらの国々では食肉消費量がうなぎのぼりだ。

当地で実感されたことのある方は多いと思うが、例えばアジア各国の都市部はいまや本当に眩しいほどの都会となっており、レストランでの外食費用は東京を上回ることも多い。特に目立つのは牛肉料理の台頭だ。経済成長を遂げる都市において、食肉習慣、特に牛肉の消費拡大は連動するようだ。国際連合食糧農業機関(FAO)や国際通貨基金(IMF)の報告を見ると、所得水準、GDPと肉食傾向には完全に正の相関関係があることがわかる。

世界の意思決定に大きな影響力を持つようになった大国、中国(人口14億人)を一例として見てみよう。

広大な国土を持つ国なので、都市部と農村部での生活スタイルが著しく異なるが、都市部だけで日本の全人口を遥かに越える数の人々が暮らすのがこの国だ。

インドや日本、多くのアジア諸国と同様、中国でも、牛は農耕パートナーとして存在してきた。開墾、整地、収穫、運搬などに至る重労働を多岐にわたって協力してくれる動物としての牛だ。しかも反芻動物である牛は、人間には食べられない牧草をも栄養にできるため人間用の食料を分け与える必要がなかった。「ともに働くに良い」動物なのであった。

それらの牛が加齢で働けなくなり、廃用とされたものを人間が食べるという消費スタイルであったため、そんなふうに食用となった牛の肉は硬く、細かく刻んで長時間煮込む必要のある食材なのであった。中国において歴史的に牛肉は「調理に非常に手間がかかる肉」という一般的イメージを持たれており、家庭で積極的に消費されるものではなかった。

だが、都市部を中心にして、接待など会食形式での外食機会が激増し、そこでは「和牛」などの高級肉ニーズが高まっている。2017年時点で、世界の牛肉消費量で中国は2位の位置を占めている。しかも、国内生産量をはるかに上回る消費増だ。大きな富を手にした国民が増えた中国は肉の生産を他国にアウトソーシングし、例えばアメリカから中国への牛肉輸出量は21世紀に入って以来10倍の成長を続けている。

そして、菜食王国として認識されているインドでも同じような食生活の変容が起こっている。ソフトウェア・エンジニアとして出世するインド人の数は多く、欧米の大企業に雇用され進歩的で豊かな生活を営む人たちを起点として、慣習的な食文化に囚われない自由を楽しむことが増えている。

私には、この傾向を否定的に捉えることはできない。つい数十年前に日本人が大手を振ってど真ん中を歩いてきた道なのだ。地球人口79億人のいま、急成長し、新たに富を手にした国々に対して、「環境に配慮して肉食欲を抑えろ」「他国の肉を買い集めるな」なんて求めるのは手前勝手が過ぎるのである。また、これから先進国となる国々からしても、上から目線でこのような御高説を述べられたところで「はい、そうですか」と従えるものではないだろう。それくらい肉食習慣は人間にとって富と直結する象徴性を持つ。既に前章までレポートした通りだ。

肉を求める地域、人口は拡大を続ける。

では、私たち人間は引き続き工場型畜産業を推進し、牛に抗生物質を与えながら、大多数の消費者の目には見えにくいところで偏見にさらされる屠殺業従事者を増やし、スピード肥育できる畜肉を増産し続けるのか？

それも、今やあまり現実的な（現代的な？）対策とは言えないであろう。少なくとも倫理的な解決策ではないであろう。

必要とされるのは、肉への執着から自由になるような発想の転換なのだ。

『森林飽和』の中で太田猛彦さんが提案したように、日本の治山事業と同じく、対症療法的な方策よりも大きく考え方を転換する打開策が「食べること」にも必要だと思うのだ。

少しばかり脱線してしまうが、興味深いエピソードを紹介しよう。

長年に渡って整形外科による対症療法的アプローチが採用されてきた（そして、いまも採用され続けている）「腰痛」について、である。

ニューヨーク大学医学部教授でリハビリテーション医学を専門とするジョン・E・サ

ーノ博士は、深刻な腰痛に悩む患者の高すぎる再羅患率、ヘルニア（軟骨の変形）で片付けることの不合理、中年期男性の羅患率の高さ（もしもヘルニアが原因だったとしたら、高齢者ほど羅患者が増えなければ不自然ではないか！）、などから、腰痛患者への治療をレントゲン外科的アプローチから心理学者たちとのチームで向かい合う方針に転換した。

突発的で強い疼痛を、不安や恐怖がもたらす認知ギャップによるものとして、患者とじっくりと対話しながら緊張を解くプログラムだ。

その結果、劇的な再羅患率減少を果たした。

「認知行動療法」と称されるこの手法は、アメリカやオーストラリアではバックペイン（腰痛）に対する新しい治療法の主流のひとつと目されている。

日本ではこれら外科分野において保健医療適用外であることから、まだあまり広まってはいないものではあるのだが、「外科」ジャンルの最先端治療法が「カウンセリング（＝対話）」なのである！

これがパラダイムの大転換だ。

もちろんだが、私は人間の歴史が築いてきたコンベンショナルな科学、医療、産業を否定する者ではない。経験的にも対症療法的アプローチが大きな意味を持っていると分かる。日本人は森林を「量的」には復活させたわけだし、化学肥料を手にしたことで人間は農業にも革命を起こし拡大し続けて、結果これだけの地球人口を賄い続けてこられたのだ。だが、従来的な考え方からの延長線上にある手法では間に合わなくなった問題が増えてきている。

実は、既に私たちはまさに様々な場面でパラダイムの大転換を体験しているのである。例えば、イタリアのミラノにいる料理上手な一般男性パオロ・ナンニーニ（仮名）が華麗にフライパンでパスタをあおる調理の様子や、西アフリカはセネガルのダカールに暮らすンジャイ・シルク（仮名）による見事に洗練された大鍋料理を、テレビの限られたチャンネルで「放送」することは難しい。BSやCSなどでチャンネル数を多少増強する程度の対策では経済的に非現実的であったのだ。

それが、インターネットが普及した今、いとも簡単にそれをYouTubeが実現している。

そもそも、1953年にテレビ放送が始まり、1964年に東京オリンピックが開催されるまで、日本においてはテレビ放送が「情報伝達メディア」としてインフラと呼べるほどには普及してもいなかったのだ。つまり、メディアの王様として地上波テレビ放送が君臨してきたのはたった60年ほどの期間なのだ。

これから迎える21世紀中盤期、私たちがより良く生きるための情報を得られるのは、中央集権的で運営者を可視できないマスメディアからだけではない。もうちょっとリアリティと親近感のある情報提供者とともに生きているだろう。そして、もちろんだが同時に私たち自身も情報提供者となり得るわけだ。

そんな21世紀を代表する「革新的新産業のひとつ」として「フードテック」が挙げられることは間違いない。革命を産む可能性も高いと考えられている。20世紀スタイルの工業型畜産を今のまま拡大させることが倫理的にも環境インパクト的にも現実的ではなくなってきた中で、これからの食糧問題をどう解決するかにチャレンジする企業が国内外で同時多発的に起業され、注目を集めている。

私が日常業務の中で触れることができる情報をまとめてみると、フードテックによるチャレンジのテーマは大きく以下の5分野を革新的に向上させることであろうかと理解している。

1 タンパク質供給力の向上
2 環境配慮と廃棄の減少
3 家庭における調理の効率化
4 地域および所得格差の是正
5 食文化の継承と創造

これら各課題を横断的に解決するに至ると期待されているのが「新しいタンパク質」の開発だ。

これは、

1 従来型畜産だけでは供給量が頭打ちとなっているのだが、
2 肥育や屠殺にかかる環境インパクトを軽減し、
3 栄養的にもサイズ的にも規格化された食品を企画し、テクノロジーによる調理の

省力化を進めることによって、

4　誰の手にも届きやすい形（あるいは手法）での普及を実現し、

5　新しい食文化を創造しよう。

というストーリーだと理解している。

そして、具体策として実際に投資を集めつつある方法論が模造肉と培養肉だ。まさにいま現在進行形のベンチャー領域で日々進捗する分野であり、植物由来の原料にヘム鉄などの肉的風味を付加したり（模造肉）、科学／化学的プロセスによって肉の細胞を複製培養し肉の質量増をはかる（培養肉）試みが積極的に推進されている。そのスタープレイヤーも目まぐるしく変わっている状況である。多くの企業／商品が足りなくなる肉をおぎなう新しいタンパク質源として「肉のようなもの」を追い求めているのである。

とはいえ、これは決して新しい技術ではない。

ご存じの方も多いと思うのだが、2022年の現在でも、スーパーで販売される成形ハンバーグやミートボール、チキンナゲットなどには植物タンパク質化合物によってかさ増しされているものが既に数多くある。それらは前世紀から販売されていた。その性能が上がった、というくらいの話なのである。

私たちが、数年後には「肉」を含まない「ハンバーグ」や「ミートボール」を日常的になんら不自然も感じずに購入し食している可能性は低くない。

だが、ここで落ち着いて考えてみたいのだ。

「新しいタンパク質」は、なぜ「肉」を模倣せねばならないのだろうか？

私は、どちらかというと最新技術のニュースに触れるのが好きだしイノベーションという言葉を愛しているタイプの人間だ。だが、模造肉、培養肉に対しては、なんとなく違和感を持ってしまうのだ。

確かに原料として動物の死体（本物の肉）を使わずにハンバーグや唐揚げが食べられれば、それはタンパク質問題のひとつを解決していることになるのかも知れない。

だがそれは、そのまま調理すれば食べられる豆や穀物に、従来とは違う形で新たな工業プロセスを施すことでないか。これは余計なプロセスなのではないのだろうか。

生家である大阪の煙草屋での記憶が蘇る。

禁煙を志す方が「煙草型パイプ」を求めることは少なくなかった。

そして、喫煙人口が大きく減った21世紀のいま、禁煙パイプを求める人は激減した。

身体に悪いものの代わりに、それを模倣したものが求められた。だが、いつしかそういった「模倣」されたもの自体は姿を消す。

同じ構造を、肉の模倣にも感じるのだ。

模造肉、培養肉、それらは「過渡期」にしばらくの間のみ必要とされる「モラトリアム型技術」なのではないのか?

「旧」先進国の責任について

成熟した先進国から率先して取り戻すべき文化のひとつとして、「地産地消」が提唱されることがある。

地域で収穫された食べものを当地で消費しようとするものだ。広域輸送を省く目的も含む。

また、地中海地域から提起された「スローフード」というスローガンもある。世界中で均一的なファストフードと対極させた、食事を惰性的な栄養補給としてだけでなく文化として重視し継承しようという運動だ。1989年にイタリアで始まったスローフード協会に加盟する団体や個人は、現在160を超える国々に広まっている。

地産地消とスローフードはともに美しい概念であり、大賛成だ。だけれども、これらは全地球的な日常食の「プロトコル(規約化された手順)」となり得るのだろうか?

難しいのではないだろうか。特に、食料自給率が40%に満たない日本で、さらに産地を限定する地産地消によってどれだけの人口を育むことができるのだろうか。

地産地消は美しいコンセプトだ。だが、現実的に都市部への人口流入が続く日本においては「地産」の時点で全国広域的な具体的目標まで推進することは難しいだろう。

少子化、個食、共働き、核家族という社会潮流は簡単に変革できるものではないだろう。伝統を文化的に守ろうとするスローフードも世界の日常食卓に広く普及させるには少し非現実的なスローガンかもしれない。

だがそれでも、「当地でしか」得られない体験、食味を活用する地産地消やスローフードは、ツーリズムの醍醐味として豊かな第一次産業リソース（農業、畜産業、漁業）を持つ土地でのエンタテインメントと経済の主要な一翼になり得ると考える。

旅先、目的地として、その土地でしか得られない食味とその生産背景をポジティブに提示できることはとても貴重な資源だ。狩猟や収穫から調理、みんなでの食事まで、全てがパッケージとなった体験を提供することもできるであろう。例えば野生キノコ収穫ツアーなどには知見を持ったナビゲーターが必要であるし、だからこその楽しさにつながる。

そして、ポジティブなツーリズムには、伝統的な地産地消、スローフードの概念からはアップデートされた、自由で風通しの良い事業設計を求めたい。

現代のジェンダーについての考え方に沿い、家父長制にとらわれない親族関係や固着しないゆるやかな地域コミュニティといったありかたに適し、長時間拘束されない、それでも再現性の高い調理手法、などを開発できるのではないかと思うのだ。

富山県出身で、東京での社会人経験を経て故郷の可能性を強く感じた内山みゆき（仮名）が、Uターンする。富山の豊かな海の幸と山の幸を用いて、母から受け継いだ味と自身が学んできたクリエイティブな調理技法をPRするにあたって、内山は自らが望む手法でそれを実現していくしなやかさを持つはずだ。

地産地消とスローフードを謳いながらも、内山はフランスのセップ茸を使うかもしれない。ありだ。時短レシピを紹介するかもしれない。おおいにありだ。彼女のSNSオーディエンスや親族、当地の隣人たちが地産地消を過度に厳格に定義したり、調理スキルを花嫁修業と捉えたりしていては、そしてそれが内山自身の意図していることでないのであれば、それは彼女が生み出すことのできる価値を毀損していると言っていい。

これは私の知人が実際に経験したエピソードを念頭に置いて書いている。地産地消やスローフード運動には「当地に埋め込まれない」自由さがあって欲しいと望む。

日本において、多国籍からの訪問者を受け止める「ツーリズム」は期待の大きい21世紀の新産業分野のひとつだ。ツーリズム自体は「新産業」ではないかも知れない。しかし、個人(および地域コミュニティ)が当地産物の新しい価値を生み出し、ローカルメディアではなく全世界に発信することが現実になったいま、ツーリズムは新しい産業となる。自由で、てらいのない発信を応援しようではないか。

こういった「現地体験型」エンタテインメント（ハレ）の対局にある「日常」のエンタテインメント、つまり毎日（ケ）の食事はどうか。

私たちは、この領域を培養された肉のようなもの、模造された肉のようなもので埋めてしまうのか？いまのコンビニエンスストアの食品棚、ハンバーガーショップの店頭をいまのままの商品ラインナップで維持するならそうなるだろう。つまり、24時間コンビニエンスストアのレジ横にフライドチキンがあり、駅前ではいつでもいつものハンバーガーを食べられる状態を続けるならそうなるだろう。そのフライドチキン、ハンバーガーは10年もしないうちに模造肉になっているだろう。スーパーで買える惣菜や冷凍食品も同じだ。

「本物の肉」は世界で取り合いになり高級品となる。

これは「肉の材料」である牛、豚、鶏の死体をどう生産、調達するか、ということだけに起因することではない。大規模自動運転配送が実現するまでの間、物流業界も瀕死間近のギリギリな状態を続ける。肉を運ぶにはチルドないし冷凍の温度管理運送をすることができる飛行機、船舶、車両が必要なのだ。

現時点では、ここに人間の手が必要である。チルドおよび冷凍便には配達先不在による再配達が生じるなどさらに大きな負担と無駄が生じている。

流通にかかっているコストを軽んじてはならないと思う。これらのコストを含めて価格を設定せざるを得ないのだ。物流面でもコストが増大し、「本物の肉」はさらにさらに値段が上がる。

誤解を恐れずに明言してみよう。限られた死体（つまり本物の肉）を食べようとする限り、今よりも金を積むことが必要になる。

そして新興先進国は金で解決しに来るようになる。

もう一度この問いが頭をよぎる。

本物の肉が高級品となった時、それを埋め合わせるのが模造肉、培養肉なのだろうか？

なぜ、肉に似せたものでなくてはならないのだろう？

当然、植物原料を模造肉に仕立てるためには工業プロセスが必要となる。培養も然りだ。

このプロセスは実は余計ではないのか？

オリジナル・カロリーというコンセプトがある。食料として得られる肉、魚、乳製品、卵を生産するのに必要な飼料の量をカロリーで換算する考え方である。

OECD（経済協力開発機構）事務総長クリステンセンによると「1カロリー分の動物性食材を得るためには平均して7カロリー分の飼料を必要とする」。

このオリジナル・カロリーの換算は私たちが手にする畜産物が肉なのか卵なのか乳なのかで全く異なる割合となるし、肉の中でも鶏や豚、牛でも異なる。もちろんだが肥育スタイルによっても大きく幅はある。同じ牛一頭でも牧草地で草を食ませて生育させる牛と、穀物飼料や時によってはビールまで与えられて育てられた牛とでは、殺され解体されて私たちの食卓に上るまでに費やされるオリジナル・カロリーは大きく異なる。

だが、おおよその目安として牛肉生産においては10倍のオリジナル・カロリー凝縮が行われると言われている。論を簡略化し過ぎではあるのだが、発想を少し変えると、牛肉の代わりに彼らに与えられる野菜や穀物を人間が食すれば10倍量のエネルギーを得られることになる。これを、(無駄な (工業) プロセスで再度加工して別のコストをかけるよりも) できるだけ野菜らしい、楽しく、華やかなかたちで食べていくことには、ひとつの大きな可能性があると感じられないだろうか。

「動物に与える穀物飼料は人間が食べるものとは品種自体が違うのだからナンセンスだ」という指摘もある。

これは拙速と言うべきであろう。人間が食べられる品種を育てれば良いのだから。人間のクリエイティビティと研究開発能力を甘く見てはならない。ながく待つこともなく「食べるに良く、生きるにも良い」穀物生産物を作り上げるに違いない。既に、トウモロコシ、キャベツ、麦などなど、現在私たちが食べている栽培品種の多くは野生品種とは全く違う植物と言えるほどの品種改良が重ねられたものである。

そして、オリジナル・カロリーである植物の豆類にはタンパク質が豊富に含まれているものが多いのだ。

だから、各種プロセスが入り組み、結果的に経済原理で富む国や個人が手にするような「食べ物」ではなく、タンパク質の加工物を作るための原料である豆、穀物をそのまま食べたほうが手っ取り早いのではないか?

常温で数ヶ月も問題なく保存でき、地球上で多種多様な品種が育てられているタンパク質源が、豆なのだ。

豆は、私たちが「見逃してきた」タンパク質源であり、その豆には、比類のない多様な可能性がある——第1章で書いたように、「肉」が私たちを人間にしたなら、「豆」もまたこれからの私たちを人間らしくあらしめるためのキーフードだと思うのだ。

私がこれまでに訪れたことのある土地として、ニューヨーク、オースティン、ニューオリンズ、ロンドン、バーミンガム、マンチェスター、シンガポール、バンコク、クアラルンプール、釜山、北京、台湾、香港、アテネ、ローマ、ナポリ、フィレンツェ、パレルモ、パリ、マルセイユ、タンジール、アレクサンドリア、ベイルートなどがある。当地で食べたものが素晴らしく美味しかった思い出の土地をあげるだけでもたくさんある。これらの街々と、大阪や東京とで、何が違ったのだろう。

それは、食卓に上る豆料理のバリエーションなのではないかと思うのだ。

日本での植物性タンパク質源は基本的に大豆のみに頼っている。

大豆は、そのまま煮豆として活用することに加え、味噌、醤油、豆腐、油揚げ、湯葉、枝豆、納豆、豆乳、煎り大豆、きな粉にもなる。大豆ひとつで多種多様なプロダクトを組み立ててきた。とてもクリエイティブだと思う。

だが、世界でも突出するほど多種多様な食への好奇心を誇る私たち日本人のタンパク質源として考えてみた時、そしていまの人口ボリュームを考えてみた時、大豆という1種類だけで受けの良い、カラフルな献立を組み立て続けるのは難しいのではないか。大豆の大規模生産による弊害も生まれ始めているし、そもそも日本は大豆を国内で20%程度しか自給していない。リスクヘッジの観点からしても多様な豆を楽しめる食文化を取り入れるべきなのである。

私の思い出を列記するだけでもこうだ。アメリカではナチョス、ブルスケッタ、サラダ、チリビーンズ、スープ、ヨーロッパではカッスーレ、レンズ豆のサラダ、豆の炊き込みご飯、クタクタに煮込まれた具だくさんなズッパがあった。北京やクアラルンプールのバーで一杯やる時には、油でフライされた落花生が突き出しとしていくらでも無料で提供されたし、炒めものや土鍋料理には緑豆春雨が一緒に炊き込まれていた。インドや中東ではひよこ豆やレンズ豆、ムング豆がほぼ毎食と言っていいくらいの頻度でテーブルに上った。メインディッシュであれ、副菜であれ、メインの付け合せであれ、多種多様な豆が大いに活用されていたのだ。

私は豆だけをタンパク質源とすべきだと述べているのではない。繰り返しになるが、常温で数ヶ月も問題なく保存でき、地球上で多種多様な品種が育てられているタンパク質源が、豆なのだ。

私たち日本人は大豆の活用法を創意工夫してきたが、伝統的な大豆だけのレシピでは20世紀〜現代に至る日本人の食欲と好奇心とタンパク質源を満たすことは簡単ではなかった。新しいものが好きな私たちだから。

その結果、日本人は他のアジア諸国に先駆けて欧米的食生活に慣れ親しみ、タンパク質源として「売るのに良い」「経済的な」肉を選択した。だから毎日の食卓に肉を必要としてきた。序章で触れた通り、1960年からの半世紀で日本人の食肉消費量は10倍に増えた。

もしも、第二次大戦後の占領当時、アメリカの豆業界がロビイング勢力を持っていたら日本人もカラフルな豆を楽しんでいた可能性もある。これは、まぁそういう想像もできる、という笑い話だが。

言いたいところはこうだ。サプライチェーンが全世界に拡大し、レシピの共有および継承も各国の当地に紐付いた伝統食に囚われるような制約がなくなりつつある今、日本人が新しいタンパク質として注目すべきは、古くて見逃していた「豆」なのだということである。

根粒菌と共存しやすいマメ科植物は窒素を効率的に固定化するのが得意な植物で、つまり厳しい環境であっても栽培可能なのだ。日本の大部分を占める傾斜地を活用しやすい可能性もある。農業を営む友人からは豆類は儲かると聞いている。これはまだ直売ないしマルシェ・イベント規模での肌感覚に過ぎないのかも知れないが、ひとつのエビデンスではあるし、フードテックのひとつである「アグリテック（農業のテクノロジー進化を目指す事業者）」とロボティクスによる産業化を期待したい。

ありとあらゆる国の料理を偏見なく楽しむことができる私たちだが、その食文化にはまだ豆料理というフロンティア（未開拓の地）が残されているのだ！

私たちは、豆によってその好奇心をまだまだ刺激され続けるはずであるし、実は新しい食文化において私たちの果たすべき役割は大きいのだ。

最後に『ULTRA LUNCH』から、検討するに足る近未来の選択肢を提示してみよう。

案外、「生きるに良い」10年後を感じていただけるかも知れない。性善説や文明を明るく信用しすぎなのかもしれない。だが、明るい未来を想像できなければ、そこは生きるに良い世界ではないだろう。そして、「これからを食べる」ことについての考えは断じて荒唐無稽な妄想ではないはずだ、とアピールくらいはさせていただきたい。

世界に冠たる少子化を突き進む日本は、今後「旧」先進国と称される存在になるだろう。

なにしろ、資本主義の誕生以来、世界で初めて「人口が減る」という事態に直面している国なのだ。

増加し続ける世界の人口

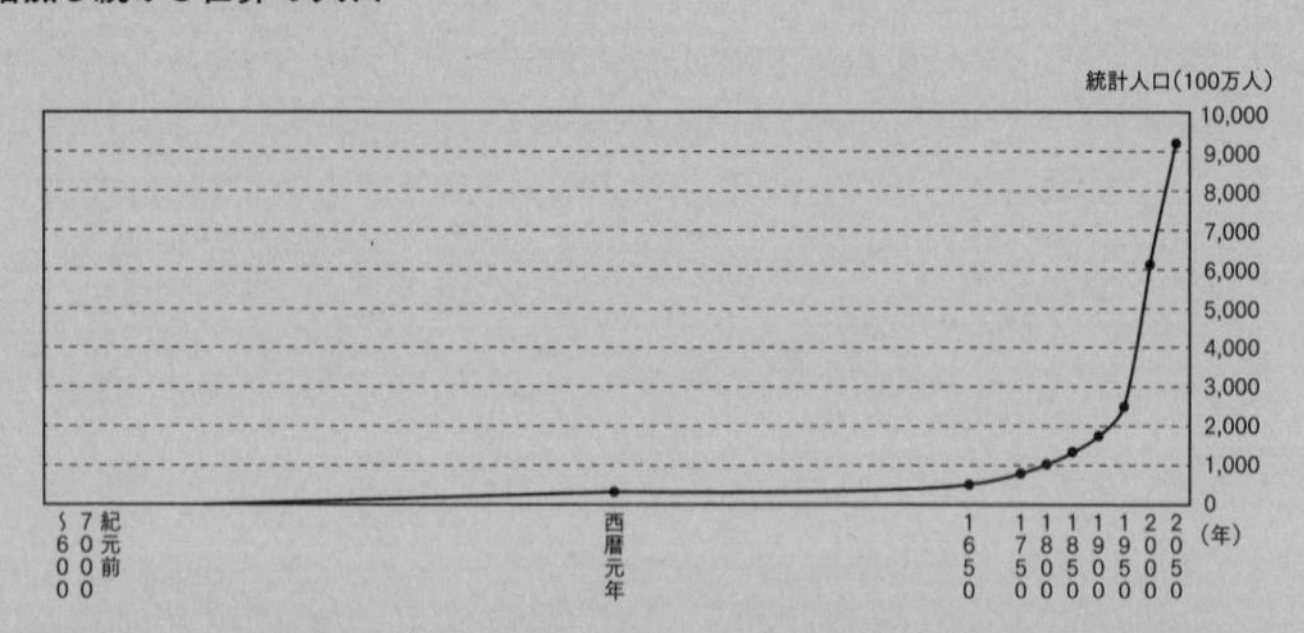

ながい時の流れのなかで、18世紀（後半の近代国家／市民社会の成立)、19世紀（資本主義の爛熟)、そして20世紀以降（現代の社会）という極めて「短いあいだ」に人類は地球上に増えている。今後も世界の人口は増加し続けるとされている。

出典：環境省「環境白書・循環型社会白書・生物多様性白書（平成22年版)」より

https://www.env.go.jp/policy/hakusyo/zu/h22/html/hj10010000.html#n1_0

減少し続ける日本の人口

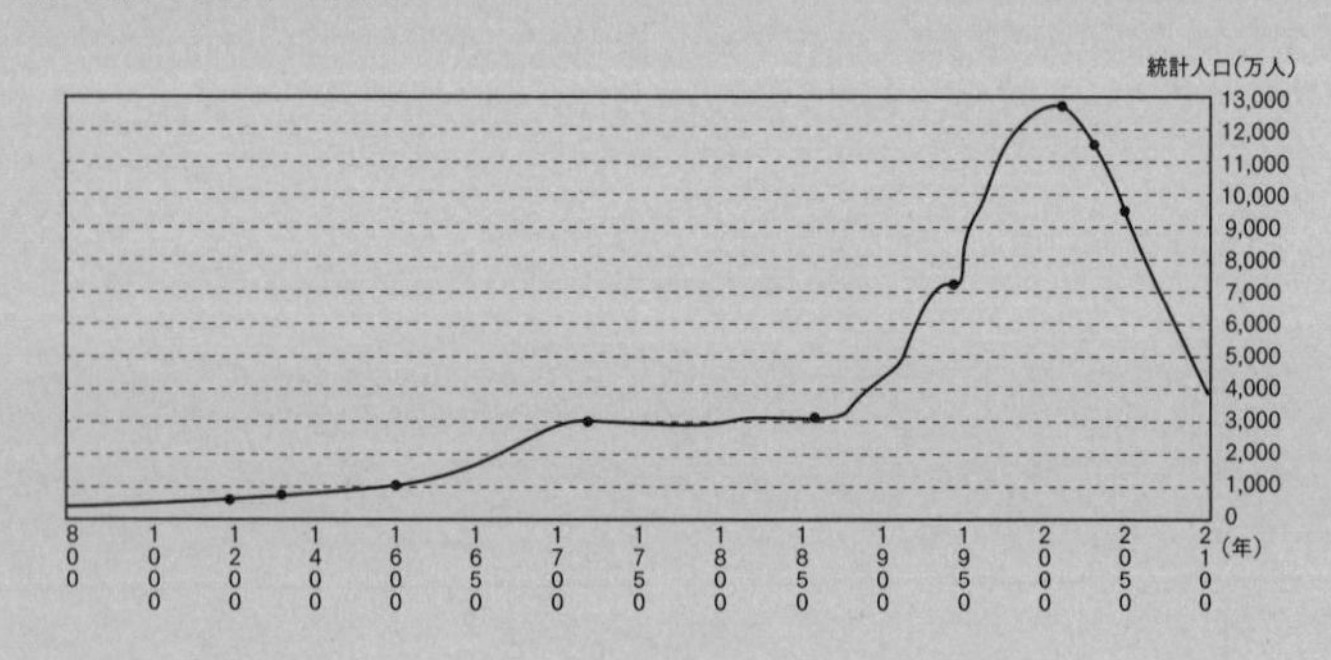

日本の人口は、19世紀の終わり（1890年頃以降・明治時代の終わり)から21世紀に入ったころ（2010年)まで増加し続けてきた。これが、2050年には9708万人まで、2100年には3795万人まで減少するとされている。

出典：国土交通省「平成24年度　国土交通白書（2013)」より

https://www.mlit.go.jp/hakusyo/mlit/h24/hakusho/h25/

これまで、日本のみならず世界の歴史の中でも合計特殊出生率の向上なくして資本主義的な意味での経済成長はあり得なかった。いずれは少なくない国が日本と同様の人口推移動向を追ってくる可能性も低くない。

日本はこの未曾有の事態に先鞭をつけることになる。

従来的でシンプルな資本主義的モデルでの成長が難しくなるわけだ。誰がどう考えても従来の経済システム、価値観モデルを対症療法的に延命使用し続けていては破綻が生じるのである。

考えかた、パラダイムに大きな転換が必要とされる。そもそも、従来型として私たちが考えている行政や経済システムといっても100年レベルの積み上げしか有していないし、人間の歴史からするとほんの一瞬の出来事なのだから。

「食べること」について、新しい価値基準をインストールすることくらいで大事件と言ってはいけない。

とはいえ、今を生きるほぼ全ての人々にとって生涯で最大の転換点にはなるであろう。

少なくない科学者やジャーナリストが実際に分析していることを紡いで、本書のエンディングを迎えたいと思う――デイビット・グレーバー『ブルシット・ジョブ』岩波書店（2020）、クリス・アンダーソン『FREE』『MAKERS』NHK出版（2009、2012）、ダン・アリエリー『予想通りに不合理』早川書房（2013）、マーシャル・マクルーハン『メディア論』みすず書房（1987）などだ。

ここから、De－Fi（Decentralized Finance（分散型金融））や、代替通貨というキーワードを下敷きにして物語が進行するのであるが、どうか「最後は金儲け話かよ」と脊髄反射で思わないでいただきたい。

これらの単語が金儲けの代名詞かのように使われているのは2022年現在のごく短期的な状況であって、これらの技術のポテンシャルは全く異なるところにある。近視眼的なポンジスキームに囚われないでいただきたいのだ。

私が述べたいのは、これから「仕事」と「お金」の概念が変わってくるはずだ、ということなのだ。

「世界上位1％の超富裕層（およそ6千万人）が、全世界（79億人）の個人資産の40％を占める」というニュースを目にしたかたは少なくないだろう。

そして、怒りを覚えたかたもいらっしゃるだろう。

さらにピーキーな現実に目を向けると、世界最上位2750人が人口64億人の全資産3・5％（およそ1500兆円）を占有し、世界下位50％が持つ資産の合計は「2％」となっている。

この数字、この事実に対して、「働かざるもの食うべからず」「努力なくして成功なし」「自己責任」などという従来型の格言、箴言はギャグと化す。だが、この状況は是正される。いや、是正される以外に選択肢はないのだ。これが放置されているようではホモ・サピエンス（知恵のヒト）の名がすたる。

序章で触れた「美味けりゃ良いんだよ、美味けりゃ」という、ひとつのシンプルな正論オブ正論、ド正論の背景にどれだけの複雑な不合理とアンフェアネスが含まれていたのか、それは第3章でレポートした通りだ。

それでは、「儲かりゃ良いんだよ、儲かりゃ」はどうだ。

遥か18世紀まで遡った時点で、すでに資本収益率（金融商品など、投資／投機によって得られる利益効率）が、経済成長率（労働によって得られる生産効率）を上回っていることをトマ・ピケティが証明してしまった。貨幣は等価交換のためのフェアなツールでなくなったことが示されたのである。資本主義経済の牽引者たる資本家たち自身が、貨幣が価値の「等価交換」手段であるという資本主義経済の素朴な前提を経済学的に逸脱してしまった状況なのである。

「美味けりゃ良いんだよ、美味けりゃ」と「儲かりゃ良いんだよ、儲かりゃ」という、恐るべき同質性をもつこれら2つの言葉が持つ「モンスター性」から、私たちは解放されねばならないのだ。

新たに先進国となる多くの国々で、未来のために事業を興し新しい雇用を創り出す人々が産出する富というものが、マネーゲームの駒という立場に押し込まれてはいけないと思う。株主へのリターンのみで新しい事業を評価するべきではない。

クリス・アンダーソンは著書『FREE』(NHK出版、2009)の中で、デジタルにおいてはコンテンツ価格は無料へ向かわざるを得ないと述べた。12年も前の話だ。根拠として、デジタル・コンテンツの複製と流通にかかるコストが極小化されていること、そもそもコンテンツ(自己表現のための創作物)自身がひとりでも多くの人のもとに届くことを求めていることを挙げた。これは2020年代のいま、およそ実現しているのではないだろうか。

音楽でいうならば、たった10年前まで一曲いくら、アルバムでいくらというビジネスモデルしか成立していなかったのが、月額聴き放題サービスの無料会員バージョンや広告付き映像ストリーミングメディアなどによって、楽曲を楽しむこと自体は無料であることが珍しいことでなくなった。

そして、音楽家は（状況にアンバランスが生じていることはともあれ）サブスクリプション料金や広告費の分配によって成果報酬を得ている。レコードやCDといった物理的メディアを複製、製造、流通する産業はとても小さくなってしまったのだが、アーティストとオーディエンスという関係性の暫定的な経済は維持されている状況と言えるだろう。

書籍においても同じ道筋で考えられる。電子書籍配信とフリーミアムモデルによって、無料で楽しめる漫画や小説が急増している。

MOOC（Massive Open Online Course）で提供される東京大学の授業も無料で聴講できる。

プロの写真家が撮影した作品もディスプレイ画面上には無料で表示され、私たちは世界の絶景や独自の視点で切り取られた風景を目にして新しい視点を持つことができる。ソフトウェア、アプリケーションに関しては、もはや無料であることが基本になっているような状況だ。

海外出張時にかかった国際電話料金が驚くほど高かったのはたった15年前のことだが、いまは無料だ。

他のモノやサービスに関してはどうだろう。

大阪に住む藤代ゆうき（仮名）が、自ら使っていた自転車をメルカリ（フリーマーケットアプリ）に出品した。セミビンテージとして価値が高まっていたことと、保管状態の良さから想像よりも高値で買ってくれる方が見つかった。この時点で藤代のメルカリアプリには売却益が保管されている。日用品の個人間売買は基本的に非課税だ。

そして、近所に住む小林ともかず（仮名）に招かれホームパーティに家族で参加した。小林は「会費はメルカリポイントで送金してくれたら良いよ」と言った。

2022年のいま、このエピソードを見て「なんや、普通やな」と思う方は多いだろう。

しかし、ちょっと考えてみて欲しい。ここで藤代は「物理日本円を全く使っていない」のである。「いやいやいや、日本円で買ってもらった自転車が原資でしょ？」と言うだろう。その通りだ。しかし、藤代の自転車を買ってくれた人物が自らの持つメルカリポイントで支払っていたとしたらどうだろう。

ここにおいて日本円は「値段の妥当性」という意味でしか機能していないのである。遥か昔は、藤代が不要になった自転車を他者と交換するためには「自転車が欲しく、かつ、藤代が必要としているものが不要となった人物」が必要であった。物々交換だ。しかし、貨幣をメディアとすることでニーズのマッチングは不要となった。そんな時代が長く続いた。それがいま、等価交換のメディアは物理貨幣である必要さえなくなってきたのである。

このメルカリポイント送金の手数料は、無料だ。これは上記した音楽のフリーミアムモデルとは異なるビジネスモデルである。「無料化」は広範囲で実現し始めてしまっている。クリス・アンダーソンの発言「デジタルは無料に向かう」を先に引用したが、いま、あらゆる国の政府があらゆる業務のデジタル化と、それによるキャッシュレス化の推進に取り組んでいる。これは生産効率の向上を目指すことも然りだが、現金取引では捕捉しにくい「ダークマネーの排除」も強力な背景になっている。不可避の戦略になっていると言える。

では、デジタル化の旗を振る政府、公務員の仕事もデジタル推進によって省人化が進むのか？進むのであろう。多くの国で、政府自らがデジタル化すなわち自動化、無人化、無料化される仕事を増やすことになる。

資本主義経済において、常に経済学者や社会学者たちが最重要議題にしてきた「大きな政府（規制を強化し、公共事業を推進すべき）」か、「小さな政府（規制を撤廃し、私企業の自由な活動を推進すべき）」かという、終わらない議論にも大きな影響が及ぶことになる。

なんせ仕事自体が減るのだ。そして、これは良いことだと考える。4630万円の誤振込など、発生してはならないだろう。

このような環境をもってしても簡単に「FREE」になれない産業とはなんだろう？すぐに思い当たるのは、インフラ（水、電気、ガス）と食品ではないだろうか。ともにデジタルでは絶対に置き換えられない産業分野だ。

しかし、ここにも変革の波は確実に訪れている。

本章の前半では森林バイオマスの収奪を行なってきた人間と早急な緑化復活と森林の質の課題をご紹介した。いま現在、私たちが地球から収奪し続けているのはなんだろうか。

すぐに思いつくのは地下資源である石油だろうか。1972年生まれの私が小中学生だった1980年代、「地球上の石油はあと30年以内に掘り尽くされる」と報道されていた。

だが、2020年代現在で石油はなくなっていたはずであったのだ。

今も世界中で数多くの自動車がガソリンで走っているし、まだ、電力は大半を石油由来の火力発電で賄っている。

新しい油田が開発されたりして、いまもまだ石油は地球上に残ってはいる。が、有限であることは自明であるし、今後採掘される油田は深かったり極地エリアだったりで採掘が難しく産油コストも上昇する。石油自体の価格は上昇せざるを得ない。

既に毎日のように伝えられている通り、脱石油と再生可能エネルギー開発は「絶対に」達成せねばならない事業なのである。そして、達成せねばならない限り、達成されるのである。

今後20年以内には化石燃料は基軸エネルギーではなくなる。いま本書を読んでくださっている方の大多数が生きているうちに実現する近未来なのだ。

そして、地球が存在する限りはエネルギーの供給がなされ続ける。送電線メンテナンスもいずれは機械が行うようになり、機械のメンテナンスは機械自身が行うようにもなる。

そうやって、デジタルコンテンツと全く同じ流れで、再生可能エネルギーだって徐々に無料に向かう。

私たちがレコードやCDを買いまくっていた時代、アメリカからタワーレコードの実店舗がなくなるなんて誰一人として考えもしなかっただろう。レコードショップの店頭で直接顧客に楽曲情報を提供することやインストアイベントの企画を生き甲斐にしていたショップスタッフにとっては大きな仕事を失ってしまったこともあったかも知れない。今はポッドキャストやブログで発信をしているのかも知れない。

タワーレコードの領収書を見たことがある人はもうほぼいないのだろう。

同じように、電気料金の請求書や領収書を見たことがない人が生まれる事もありえるのだ。

理論的に可能で、実現したほうが便利なものは実現に向かうのである。

市場では何にでも値段をつけることができる。

その値段を貨幣で支払うことによって所有することができる。

そして、私たちはその貨幣を労働によって得ることができる。

労働者に仕事と報酬を与えるのが資本家だ。

労働者は、労働との交換によって得た資本を元手に新しい資本家として産業を産むこともできる。乱暴すぎる簡略化かも知れないが、以上が資本主義経済の基本的な定義だろう。

これが実現する前、世界は奴隷制や封建制で運用されていたのである。資本主義は民主主義や人権概念の向上にも貢献した。人間にとって必要なもので「あった」のだ。

では、ここまでご紹介したように「値段のつかない」「無料の」モノとサービスが増えてしまった時に「日本円」という貨幣が持つ意味は変わるのだろうか？

変わってしまうはずだ。

簡単に無料化するのが難しい産業範囲として、「食品」をインフラ産業と併記した。さすがに食品全てが速やかに無料化することは確かにちょっと考えにくい。なのだが、ここで国勢調査のデータを覗いてみよう。

平成22年国勢調査による15歳以上就業者5961万1千人（男性3409万人、女性2552万2千人）を産業3部門別にみると、「農業、林業」及び「漁業」から成る第1次産業就業者は238万1千人（男性144万5千人、女性93万6千人）、「鉱業、採石業、砂利採取業」、「建設業」及び「製造業」から成る第2次産業就業者は1412万3千人（男性1046万2千人、女性366万1千人）、「卸売業、小売業」、「医療、福祉」、「宿泊業、飲食サービス業」などから成る第3次産業就業者は3964万6千人（男性2019万3千人、女性1945万4千人）となっている。

15歳以上就業者に占める産業3部門別割合は第1次産業が4・2％、第2次産業が25・2％、第3次産業が70・6％となっており、平成17年と比べると第1次産業及

び第2次産業は割合が低下しており、第3次産業は上昇している。（総務省統計局、平成22年国勢調査より）

第1次産業とは農業、畜産業、漁業、林業など、地球環境から生産物を収穫する仕事であり、第2次産業とは製造業、建設業、鉱業など、第1次産品を加工する仕事だ。そして、それ以外が第3次産業と分類される。医療従事者も、アーティスト、ジャーナリストなどの専門家、マスコミ、公務員を含む事務労働者や小売（卸を含む）に関わるあらゆる仕事もここに含まれる。飲食業も然りだ。

第1次産業、第2次産業と第3次産業を分けるのは、商品、サービスが価値を産むスピードということになるだろうか。農業も漁業も林業も製造業も、価値を産むまでに時間もかかるし物理的な作業に危険が伴うことが少なくない。それに比して第3次産業は価値を即時的に貨幣化でき、比較的安全な産業と言える。

私は何を言っているのか？

1次と2次が大きな専門機械、ハードウェアを必要とし換金に時間がかかる産業なのに比べて、3次は理論的にはソフトウェア運用が可能で換金速度の早い産業であるということである。そこに日本人の大多数が従事しているのだ。

これらの仕事の多くが自動化、無人化に向かうのである。いや、本当は既にそれは達成されているのかもしれない。

政府が旗を振るデジタル化推進の実証実験成果として、いくつもの自治体が公務員の作業効率が劇的に向上したことをP.Rしている。

2010年代後半以降、全国の地方自治体によるRPA（Robotic Process Automation：事業プロセスの自動化のための技術）効率化のニュースやプレスリリースは凄まじい量だ。その一方で（あるいはその成果で）、非正規職員の増加が問題となっている。極めてバランスの悪い人員配置がなされてしまっているのである。人が少なくて良いはずの職場なのに、劣悪な待遇を強いられる非正規職員ばかりが増やされ、将来の役に立つスキル（職能）の獲得も健全な人生設計に必要な安定長期雇用も見込めない仕事を割り当てられている。イギリスの経済学者で修正資本主義論者としてニューディール政策の根拠を提示したジョン・メイナード・ケインズは、1930年の有名な講演で「生産性の向上によって100年後には人間の労働時間は週15時間になり、人びとにとって余暇の過ごし方こそが最大の課題になる」と既に述べていた。今私たちはまさにその状況にいるのである。

人類学者の故デヴィッド・グレーバーによると、私たちは既に意味のない仕事を無理して維持しているのである。2015年に英国で世論調査代行会社 YouGov がおこなった調査では、37%もの人が自分の仕事には意味、有用性がないと答えた。

だが、

消し去りたいと夢想しているのは仕事であって、その仕事をしなければいけない人びとではない（デヴィッド・グレーバー『ブルシット・ジョブ――クソどうでもいい仕事の理論』岩波書店（2020）より）

のである。

自動化、無人化の進むデジタルデータの世界では、そのデータの正当性を担保するために不特定多数の当事者が改編履歴を共有し、データの改竄を事実上不可能とする技術が用いられる。公文書を破棄することも簡単ではなくなるだろう。

このような世界では、社会意思決定の方法論も一新されることになる。社会のどこから変化が始まるのか、それは断言できないところであるが、技術的に最もシンプルな貨幣価値のパラダイムからかも知れないし、もしかすると普及に時間のかかっている「マイナンバー」とは異なる便利なＩＤが産声をあげて一気に浸透するのかも知れない。

どのように実装されるにせよ、技術的に可能になっていることは実現するのであるし、そんな環境の中で不可視化された意思決定プロセスがいまのまま維持されることは考えられない。

フィクサーと呼ばれるごく一握りの人間がいつまでも大仕事をしているべきではないし、４６３０万円が人為的ミスで振り込まれてはいけないし、理不尽すぎるクレーマーへの対応に人間が振り回されるべきではないのだ。

そのインフラが整いつつある。とても大きなパラダイムシフトを伴うことになるが不可逆的に文明は進化する。グラデーションを染めながら徐々に変革は始まるし、すでに始まっているし、速やかに浸透する可能性は低くない。

『ULTRA LUNCH』が身をおいている「食べもの」の領域や「食文化」を見渡してみよう。

採用難、人手不足の代表のように言われる飲食業界だが、そもそも、そこでの仕事自体が以前とは全く違うものになっているのだ。

雇用数が大きく、チェーン展開される大手飲食店舗の厨房では、セントラルキッチンで半調理されたものを温めたり皿に盛り付ける程度の仕事しかなくなっているのである。

客席には猫型ロボットが料理を運びはじめている。もちろん注文はタブレット端末だ。このような職場に、今後の人生に役立つ職能の獲得と高給を夢見ることが出来る労働者はいない。

無人運営される飲食店が確実に現れる。その風景を味気なく思うかもしれないが、私たちはその時、家族や友人とともに食事と会話を楽しむことに集中できるのかも知れない。

このような店で、ひとりで一日の疲れを癒すビールを飲むにあたっては誰にも邪魔されずに静かで穏やかな時間を過ごしているかも知れない。

どの言語を話す顧客にもストレスのない食事時間が提供されているかも知れない。

いっぽうで、人と人どうしが直接触れ合う温かいコミュニケーションは必要であり続けることを私たちは知っている。レストランで人と人が関係しあいながら働く仕事の雇用も、だからなくなることはないし、正当な働きかたやスキルアップの可能性に満ちた場であり続けるだろう。

このような正当な労働が行なわれているレストランでの食事こそが、ハレの日のご馳走なのだ。

ある日あなたが選ぶのは地産地消を体験できるスローフードレストランであるかもしれない。

世界の豆料理が丁寧な煮込み調理をもって供される多国籍料理店かもしれない。

少なくとも、いまは劣悪な待遇で人間がこき使われているチェーン店の歪な低価格に引きずられてしまっているかもしれないが、個人店での支払いはもう少しお高いものにはなるだろう。

なにしろ人間が働いてくれているのだ。

本書の序章で触れた食品偽装は不可能になる可能性が高い。

RFID（ICタグ）はさらに高機能化、簡便化するし、当事者数が多く、流通経路も複雑な食品産業において、これら不可逆化技術を活用する意味は極めて大きい。スーパーの店頭はもちろん各家庭の冷蔵庫でも食品の来歴や調理法を得ることが可能となるのだ。

そして今後、バラエティ豊かな自然と伝統文化、独自の進化を続けるモダンカルチャーがギュッと詰まって楽しめる日本は、世界中の人びとが訪問するツーリズム大国化すると考えられている。

そのツーリズムに欠かせないのが食のエンターテインメントだ。伝統的な和食を発信するのはもちろんのこと、これまで世界中でも特筆すべき好奇心で日本人が楽しんできた各国料理との融合も期待される。画期的なまでに収集され共有されるレシピデータベースにおいて、日本発の新しい「The Whole Earth Standard（地球基準）」の新しい食文化が世界中に発信される。

しかも、願わくば半完成品とも言える模造肉や培養肉よりも調理の工夫しがいのある、豆や穀物そのものという材料を用いて。

世界平和と五穀豊穣を願っている。

もちろんこれらはまだ現時点で予想図に過ぎないのだが、私には、世界にも珍しいほどの食いしん坊民族、日本人の面目躍如たる未来が明確に目に浮かんでいる。

OSS（オープンソースソフトウェア）というコンセプトがある。

githubなどに格納、公開され、他者によって改編されたバージョンも更に公開され、履歴を確認することもできる。

事実上フォーマット化されている「レシピ」は、政治イシューよりも、アートよりも、多言語化を簡便に進めやすい文化である。レシピという楽譜があれば、調理という演奏は自動でおこなえるのだ。

楽譜と同じくフォーマット化されたレシピはロボティクスを加速させる。

あなたのレシピがスペインのバルセロナやブラジルのサンパウロで自動調理されてい

るかも知れないのだ。いや、確実にされるだろう。美味しく楽しい発見を与えてくれるレシピには投げ銭が届くであろう。その時、もはや届くのは日本円ではなくなっているはずだ。トークンなのか地域通貨なのかメルカリポイントなのか、それは私には分からないけれど、感謝の気持ちがあたたかい形となって交換される世界がやってくる。

そして、そのレシピを作り、食べることを楽しむのは、２５０万年もの昔に火の使い方と料理を覚え、大脳、社会脳を発達させ、想像力を持ち、「モンスター」たちに取り込まれずに、しなやかに祝祭を作り続けるUターン組の内山みゆき（仮名）であり、私であり、いまお腹をすかせている愛すべき食いしん坊のあなたなのだ。

あとがきにかえて――ホワッツ・ゴーイング・オン

長々とした文章にお付き合いをいただき、まことにありがとうございます。

本書は、イントロダクションのタイトルが「インナー・シティ・ブルース」で、この終章「あとがきにかえて」のタイトルが「ホワッツ・ゴーイング・オン」となっています。

既に気づかれている方も少なくないと思いますが、これらふたつのタイトルは、1971年にマーヴィン・ゲイというアーティストがモータウンから発表したアルバム「ホワッツ・ゴーイング・オン」に収録されている楽曲の名前から引用しました。

このアルバム「ホワッツ・ゴーイング・オン」は、実はA、B両面あわせても40分に満たない短いアルバムなのですが、このアルバムには発表から50年を経たいまもなお全く色褪せないメッセージと願いが録音（レコード：記録）されています。

1960年台終盤から1970年台にかけて、ホワッツ・ゴーイング・オンを発表したマーヴィン・ゲイをはじめ、カーティス・メイフィールド、ダニー・ハサウェイ、スティービー・ワンダーなどが中心人物となって勃興した「ニュー・ソウル運動」という音楽界のひとつの潮流がありました。

この本の名前は、それになぞらえて「ニュー・ダイエット」と命名しました。

実は、この「ニュー・ソウル運動」というのは日本の音楽ジャーナリストによって名付けられた呼称で、アメリカでもヨーロッパでもあまり（というかほぼ）使われないものなのですが、当時の音楽家たちの姿勢をとてもよく表していると思います。その特徴（と思われるもの）を挙げてみると、

複雑なコードとアレンジメント：ジャズやラテン、クラシック音楽の技法を取り入れることで、バンドは大人数編成となり、それに応じてボーカルもバックトラックの一部であるかのように一体化しました。

歌詞とメッセージ：ベトナム戦争や公民権運動、人種差別や貧困など、当時のアメリ

カが抱えていた多くの社会問題に対して直接的なメッセージが歌詞に盛り込まれ、日常とラブソングを歌っていれば良いのだとされていた音楽家たちにメッセンジャーという新しい役割を創り出しました。

そこにはシンセサイザーや多重録音のような当時の新技術もふんだんに駆使され、このような新しい黒人音楽（ニュー・ソウル）がラジオで無料放送されていた当時の風景は、さながら私たちがいまPodcastやYouTubeなどで無料で楽しませてもらっている最新の番組のようなものだったのではないかと思われます。

これらの音楽は、当時の「新しいメディア」として市民の間に共有された批判精神や表層的な貧富のもっと内側にある哲学だったようです。

こんな特徴を持つ音楽が大好きです。そして、彼らが心底から発していたメッセージが少しも古びることなく響き続けてくることに驚きを感じています。

「食べること」について、何か新しいヴォイスを持ちたいと思いました。

「ニュー・ダイエット」は、だからそんな思いで、タイトルにしようと思っていた言葉です。

1970年代当時に使われていた算盤や計算機はほぼ姿を消し、PCどころかスマートフォンのような手のひらに収まる機械が高度な計算をしてくれていますが、もはや高度な計算をしてくれていることさえ意識せず、私たちはその技術を日常で使用しています。

が、同じ頃にマーヴィン・ゲイが「父よ、エスカレートする必要はないんだよ。話してくれよ、話してみればあなたにも分かるはずなんだ。なにが起こってるんだ」（傍点筆者）と歌った言葉には「あぁ、昔はそんなことを問題にせねばならなかったこともあったなぁ」なんていう懐かしさは皆無です。

唐突に始まった侵攻の背景を話してくれる大統領はいませんし、数多くの国よりも多くの富を持つ個人がそこまで資産を増やさねばならない理由を話すこともありません。話してくれれば私たちにも理解できるかも知れない。話すことで彼らも自らがおこなっていることがどういうことなのか分かるかも知れない。しかし、そんな機会もないまま、お互いを理解し合えないという状況が強まっている。

ゲーテッドコミュニティなる言葉があります。富裕層の人びとが治安を守るために壁に囲まれた街を建造し、そこに守衛を配置してゲート内部の安全を確保する。

これはニュー・ソウルが歌われた時代に歌詞としても取り上げられたゲットーと似た状況にある現象かも知れません。もともとゲットーはユダヤ人用居住区として囲い込まれたエリアとして名付けられたものですが、アメリカでも黒人はじめマイノリティ人種が密集居住を強いられるエリアを指す言葉として歌われました。

皮肉にもゲーテッドコミュニティこそが、逆にゲットーなのかも知れません。どちらも恐怖から建造されるエリアなのです。話しあうこともないまま、恐怖だけがエスカレートしている世の中が続いている。


「ホワッツ・ゴーイング・オン」——いったいどうなってんだ?


本書内でも繰り返し述べました通り、私は人間讃歌、そして文明と進化を積極的に支持する人間であります。

が、現在の世の中、社会、経済、自然環境は果たしてどうなっているでしょう?

本文の中で、私は極めて肯定的かつ楽観的に、食文化と新しいフードテックを描写してきましたが、食は「安全保障」の根幹を担います。「世界平和」は頭でっかちで上っ面のスローガンではないのです。

21世紀のいま、少なくとも私たちには「声をあげる」術が与えられています。インターネットがその手段を与えてくれています。

全ての論に一理あります。が、筋を通すつもりもない言いがかりや屁理屈さえも「平等に」タイムラインに列記され続け、むしろ話し合うことを妨害しているように見えることまであります。

本書4章でご紹介しましたが、整形外科分野の腰痛における最新手法が「対話」なのです。話し合うことには結構な時間がかかります。対話には相手も必要となります。その相手は「他人」です。あなたとは全く違う人生を送ってきた人物なのです。

他者を理解しようとする姿勢だけは失いたくないと考えます。

アクションに対するリアクション、それが連なってチェーンリアクションとなる訳ですが、この連鎖反応によって文明を進化させられるのは人間だけなのです。

まだ、これからも人間の時代が続きます。

さて、木星社からのアナウンスやラジオ、ポッドキャスト、SNSで本書出版企画をご案内してから刊行にいたるまで、とても長い時間がかかってしまいました。大変お待たせをしてしまいましたこと、お詫び申し上げます。舌足らずで大変な物語の執筆を見守ってくれた編集/発行人の藤代きよさんのお助けをいただき、ようやく日の目を見ることとなりました。

『ULTRA LUNCH』という事業をはじめて足掛け10年、苦しい時間も苦言の一つも言わず楽しく寄り添ってくれている妻と息子には何とお礼を言えば良いのか適切な言葉が見つかりません。本当にありがとう。

最後になりましたが、皆さま、本当にありがとうございます。この本が皆さまにとってこの先の「生きるに良い未来」をかんがえる一助になればこれ以上の喜びはありません。

2022年8月　東京、高尾のアトリエで、「ホワッツ・ゴーイング・オン」を聴きながら。

参考文献

リチャード・ランガム著、依田卓巳訳『火の賜物——ヒトは料理で進化した』NTT出版、2010年、262頁。

クリフォード・ギアーツ著、梶原景昭ほか訳『ローカル・ノレッジ——解釈人類学論集』岩波書店、1991年、435頁。

クロード・レヴィ・ストロース著、早水洋太郎訳『生のものと火を通したもの』みすず書房、2006年、538頁。

藤原辰史著『分解の哲学——腐敗と発酵をめぐる思考』青土社、2019年、345頁。

宮本常一著『塩の道』講談社学術文庫、1985年、220頁。

クリストファー・ストリンガー、ロビン・マッキーほか著、河合信和訳『出アフリカ記——人類の起源』岩波書店、2001年、360頁。

ジャン・ボテロ著、松島英子訳『最古の料理』法政大学出版局、2003年、243頁。

ハロルド・マギー著、北山薫ほか訳『キッチン・サイエンス』共立出版、2008年、872頁。

マーヴィン・ハリス著、板橋作美訳『食と文化の謎』岩波書店、2001年、393頁。

TERRY HOPE ROMERO, VEGAN EATS WORLD, Da Capo Lifelong Books, 400 pages.

内澤旬子著『世界屠畜紀行』解放出版社、2007年、367頁。

太田猛彦著『森林飽和——国土の変貌を考える』NHK出版、2012年、260頁。

トマ・ピケティ著、山形浩生ほか訳『21世紀の資本』みすず書房、2014年、728頁。

べにや長谷川商店著『べにや長谷川商店の豆料理　海外編』パルコ、2013年、159頁。

柴田書店編『ビーンズクッキング』柴田書店、1998年、95頁。

ジョン・E・サーノ著、浅田仁子訳『サーノ博士のヒーリング・バックペイン』春秋社、1999年、264頁。

伊藤かよこ著『人生を変える幸せの腰痛学校—心をワクワクさせるとカラダの痛みは消える』プレジデント社、2016年、304頁。

誠文堂新光社編『世界の豆料理』誠文堂新光社、2016年、239頁。

高野秀行著『世界の納豆をめぐる探検〈月刊たくさんのふしぎ2022年2月号〉』福音館書店、2021年、48頁。

日沼紀子著『クミン料理の発想と組み立て』誠文堂新光社、2016年、159頁。

畑中三応子著『ファッションフード、あります』紀伊國屋書店、2013年、380頁。

デヴィッド・グレーバー著、酒井隆史ほか訳『ブシット・ジョブ　クソどうでもいい仕事の理論』岩波書店、2020年、442頁。

クリス・アンダーソン著、小林弘人監修、高橋則明訳『フリー〈無料〉からお金を生み出す新戦略』NHK出版、2009年、352頁。

クリストファー・マクドゥーガル著、近藤隆文訳『BORN TO RUN　走るために生まれた』NHK出版、2010年、414頁。

マーシャル・マクルーハン著、栗原裕・河本仲聖訳『メディア論——人間の拡張の諸相』みすず書房、1987年、384頁。

ダン・アリエリー著、熊谷淳子訳『予想どおりに不合理：行動経済学が明かす「あなたがそれを選ぶわけ」』早川書房、2013年、496頁。

成田悠輔著『22世紀の民主主義 選挙はアルゴリズムになり、政治家はネコになる』SBクリエイティブ、240頁。

田中宏隆ほか著『フードテック革命 世界700兆円の新産業「食」の進化と再定義』日経BP、2020年、400頁。

井手英策著、『経済の時代の終焉』岩波書店、2015年、270頁
伊東俊太郎・染谷臣道編著『収奪文明から還流文明へ』東海大学出版会、2012年、198頁
リチャード・N・ラングロワ著、谷口和弘訳『消えゆく手』慶應義塾大学出版会、2011年、200頁

ドミンゴ（近田耕一郎）

ヴィーガン食品メーカー『ULTRA LUNCH』代表。1972年大阪生まれ、ソウル・ミュージック育ち。大阪大学人間科学部を卒業後、大阪、シンガポール、ロンドン、東京などでラジオDJ、レコードレーベルのディレクター、カリグラファーとして活動した。2007年に趣味でランニングを始め、2011年に山道を走るトレイルランニングを初めて体験する。ほどなくして100kmを超える長距離を走るウルトラ／トレイルランニングに魅了されるようになった。これをきっかけに、人間が走り続けるために欠かすことのできない栄養や「食べること」ついての研究・開発をスタートする。2013年に『ULTRA LUNCH』を設立し、飲食店運営、ケータリング事業を経て、現在は東京都八王子市、高尾山の麓に工房を構え、食品メーカーとしての事業を精力的に展開している。

ウェブサイト：ultralunch.net

ニュー・ダイエット：食いしん坊の大冒険

THE NEW DIET：Further Essays in A Culinary Adventure.

2022年9月22日　第1版1刷発行

著者　ドミンゴ（近田耕一郎）

イラスト　ジェリー鵜飼

装丁・組版　吉田憲司＋矢口莉子（TSUMASAKI）

印刷・製本　株式会社ムーブ

発行者　藤代きよ

発行所　株式会社木星社

〒600-8118 京都府京都市下京区平居町55番地1

電話／FAX　075-600-2401

ウェブサイト　https://www.mokusei.pub/

メール　books@mokusei.pub

mokusei.pub

Printed in Japan ISBN978-4-910567-04-4 C0036 ¥2400E